C000262848

pigion 2000

Blas ar y sgrifennu gorau yn y Gymraeg

Golygydd y gyfres: Tegwyn Jones
Cyhoeddwyr: Gwasg Carreg Gwalch
Pris: £1.99 yr un

pigion 2000

ISLWYN
FFOWC ELIS
'Lleoedd fel Lleifior'

Golygydd y gyfres:
Tegwyn Jones

GWASG Carreg Gwalch

Argraffiad cyntaf: Awst 1999

© Pigion 2000: Gwasg Carreg Gwalch
© testun: Islwyn Ffowc Elis/Gwasg Gomer

Ni chaniateir defnyddio unrhyw ran/rannau
o'r llyfr hwn mewn unrhyw fodd
(ac eithrio i ddiben adolygu)
heb ganiatâd perchennog yr hawlfraint yn gyntaf.

Rhif Llyfr Safonol Rhyngwladol:
0-86381-509-X

Cyhoeddir o dan gynllun comisiwn Cyngor Llyfrau Cymru.
Cynllun y clawr: Adran Ddylunio'r Cyngor Llyfrau.

Argraffwyd a chyhoeddwyd gan Wasg Carreg Gwalch,
12 Iard yr Orsaf, Llanrwst, Dyffryn Conwy.
Ffôn: 01492 642031
Ffacs: 01492 641502
e-bost: llyfrau@carreg-gwalch.co.uk
lle ar y we: www.carreg-gwalch.co.uk

Dymunir diolch i Islwyn Ffowc Elis am ei
ddiddordeb yn y gyfrol hon, am ei gymorth
wrth ddewis y detholiad ac am fwrw golwg
dros y proflenni. Diolch hefyd i Wasg Gomer
am eu caniatâd caredig i gynnwys deunydd a
gyhoeddwyd yn y lle cyntaf ganddynt hwy.

Cynnwys

Cyflwyniad

Yn gynharach eleni, 1999 – blwyddyn a neilltuwyd yn Flwyddyn Darllen Genedlaethol – trefnodd Cyngor Llyfrau Cymru, ar y cyd â'r Western Mail, bleidlais boblogaidd i ddod o hyd i Lyfr y Ganrif yng Nghymru, un yn Gymraeg a'r llall yn Saesneg. O'r llu pleidleisiau a ddaeth i law, tynnwyd dwy restr fer, a llawenydd mawr i holl edmygwyr Islwyn Ffowc Elis – er nad syndod iddynt o gwbl, wrth gwrs – oedd mai ei nofel gyntaf ef, Cysgod y Cryman, a ddaeth i'r brig yn adran y llyfr Cymraeg. Pan ymddangosodd y nofel honno yn 1953, gwelwyd cyfnod newydd yn gwawrio ar hanes y nofel Gymraeg, ac i raddau helaeth ar hanes rhyddiaith Gymraeg yn gyffredinol. Dyma nofel Gymraeg o'r diwedd a oedd nid yn unig yn stori afaelgar, dda, ond hefyd un a oedd yn adlewyrchu bywyd bob dydd y Gymru a oedd ohoni ar yr adeg arbennig honno yn ei hanes, ac yn llawn o gymeriadau, ieuanc llawer ohonynt, a oedd yn byw yn y byd real, ac yn trin ac yn trafod pynciau'r dydd. Chwedl Dr John Rowlands yn ei gyfrol Ysgrifau ar y Nofel, 'Gwasgarodd y niwl, agorodd y cymylau, a daeth llygedyn o haul i sbriwsio darllenwyr Cymraeg'. Yng nghefn siaced lwch argraffiad cyntaf Cysgod y Cryman, gyda'i chynllun dramatig o waith y diweddar J.G. Williams, ceir bywgraffiad byr o'r awdur lle dywedir mai hon yw ei nofel gyntaf, ac y 'disgwylir llawer arall oddi wrtho'. Nid ofer fu'r disgwyl hwnnw, oherwydd fel y gŵyr ei ddarllenwyr diolchgar, bu cynnyrch llenyddol Islwyn Ffowc Elis yn un sylweddol ac arhosol. Ar wahân i wyth nofel arall, cyhoeddodd hefyd gyfrolau o ysgrifau, straeon byrion, un ddrama, ac yn ei gyfrol ddiweddaraf, Naddion (1998), erthyglau a sgyrsiau yn ogystal. Er mai boddhad o'r mwyaf oedd cael ailddarllen ei waith wrth baratoi'r detholiad hwn, trodd y pleser yn gur pen wrth osod y cyfoeth llenyddol ochr yn ochr â'r gofod a oedd wrth law i geisio'i arddangos. Ni allwn ond ymddiheuro, o gofio mai nofelydd yn anad dim arall yw Islwyn Ffowc Elis, mai o dair o'i nofelau'n unig y ceir dyfyniadau yma. Rhan o'r esboniad am hynny yw nad hawdd dyfynnu'n foddhaol o nofel ac iddi stori a chynllun amlweddog a chywrain, ond yr oedd hefyd angen dangos doniau llachar yr awdur mewn meysydd eraill. Hyderwn fod yma ddigon o amrywiaeth i ennyn brwdfrydedd darllenwyr newydd, ac y byddant hwy yn ogystal â'r rhai sy'n gyfarwydd â gwaith yr awdur, yn mynd ati ar y cyfle cyntaf i lenwi'r bylchau.

Sut i yrru modur

Gwell imi fod yn onest ar y dechrau, hwyrach, rhag twyllo unrhyw gyw gyrrwr anffodus fel fy hunan sy'n ceisio esboniad ar ei fethiant ym mhobman ond yn ei gyfansoddiad ef ei hun. Nid teitl yr ysgrif hon yw'r geiriau uwch ei phen – teitl yr ysgrif hon yw 'O Glawdd i Glawdd' – ond teitl y llyfr tri-a-chwech hwnnw a'm twyllodd mor enbyd. Yn Saesneg y sgrifennwyd ef. Buasai llyfr Siapanaeg ar dyfu bambŵ wedi bod o lawn cymaint budd i mi.

Yr oedd arnaf eisiau bod yn berchennog car modur ers amser maith. Pan soniwn am brynu'r cyfryw gofynnai pwy bynnag y digwyddwn fod yn siarad ag ef ar y pryd a allwn i yrru. Atebwn innau na allwn, ond mai bychan o orchwyl fyddai dysgu. I mi, meddiannu'r peth oedd yn bwysig. Yr oedd rhyw urddas i ddyn a chanddo fodur. Yr oedd yn uchelwr yng nghanol gwerin fflat o bedestriaid, fel y darlun hwnnw o Owain Glyndŵr yr arferwn syllu arno pan oedd f'ymwybod cenedlaethol yn blaguro ynof – Glyndŵr yn uchel ar ei farch yng nghanol môr edmygus o wŷr traed. Yr oedd gŵr wedi'i godi ar olwynion, a pheiriant stormus yn ei dynnu, yn amgenach creadur, yn greadigaeth go ysblennydd. A'i bosibiliadau! Os oedd yn ddelfryd ganddo fod yn gymwynaswr ym mryd ei gydnabod, gallai bod amser godi blinedigion oddi ar yr heol a'u cludo. Neu os oedd yn ifanc, ac yn dihoeni am ymddisgleirio fel carwr, llawer mwy barddonol i gariadferch fyddai cyrchu encilion disathr mewn cerbyd preifat na'i hysgwyd hyd briffyrdd mewn bws poblog, swnllyd. Yr oedd manteision meddu modur yn afrifed. Canai car ar ôl car rwndi melys wrth fflachio heibio imi ar y ffordd, a'r haul yn wincian yn eu metel. Dihangai ochenaid andwyol ohonof wrth syllu arnynt. Yr oedd yn rhaid cael un.

Ac mi gefais un. Cerbyd difai yr olwg arno; wedi cofleidio ambell drofa'n rhy glôs, efallai, wedi bod braidd yn haerllug gydag ambell glawdd neu bont, ond cerbyd difai yr olwg arno. A'i beiriant yn batrwm. A chydag ef daeth cynnig mawrfrydig. Nid oedd orfod arnaf ei brynu nes gweld ei ogoniannau a'i ffaeleddau, a dygymod â hwy. At hynny, yr oeddwn yn rhydd i fwrw fy mhrentisiaeth ynddo.

Rhaid imi gyfaddef mai un o funudau gloywon fy mywyd oedd honno pan eisteddais wrth ei lyw a blysig ryfeddu uwch amrywiaeth ei doreth taclau. Treuliais orig hud yn eu byseddu'n betrus, lifer a botwm ac allwedd. A synio, os rhyfedd ac ofnadwy y'm gwnaed i, mai rhyfeddach y gwnaed hwn – a mwy ofnadwy, fel yr oeddwn i brofi'n ddiweddarach. Ac wedi'r rhyfeddu, mynd ati i roi bywyd ynddo. Yn fanwl ofalus troais ei allwedd danio a thynnu'r botwm cychwyn. Deffrodd y peiriant a chrynu drwyddo. Cynghorwyd fi wedyn i symud y lifer-gêr i fan neilltuol ac i dynnu fy nau droed oddi ar y pedalau. Pan wneuthum hynny rhoes y cerbyd lam erchyll tua'r clawdd a stopio, a diffoddodd y peiriant. Yr oedd wedi cychwyn ar gyfnod poenus y llamu a'r diffodd.

Eithr, er fy syndod, nid oedd y dysgu wedi hynny cynddrwg ag y buaswn yn ofni. Yr oedd y tair gêr yn gymhleth, mae'n wir, a champau clyts a brêc a sbardun yn bygwth bod yn ddinistriol ar adegau, ond yr oeddwn yn llwyddo i lywio'r cerbyd gyda'r clawdd a chyda pheth cyflymdra heb beri fawr niwed iddo ef nac i neb arall. Yr oedd fy nghamau cyntaf yn yr anturiaeth wrth fy modd, ac wrth fodd y gŵr a'm dysgai, meddai ef.

Ond, gwae fi, y mae imi gyfeillion. Y bodau annarogan hynny y llwydda argyfwng i'w troi naill ai'n feirniaid ewinog neu'n watwarwyr ffyrnig. Ac ym mhlith y cyfeillion hyn yr oedd dau neu dri a honnai fod yn hen ddwylo ar grefft gyrru modur. Yn wir, yr oedd yn arfer gan un neu ddau ohonynt gadw car a'i redeg i'w gwaith. Ac un bore, wedi clywed fy mod innau o'r diwedd yn berchen car, yr oeddynt yn dra awyddus i ddod ar wibdaith gyda mi, yn engyl gwarcheidiol, i roi imi gyngor neu ddau. Ond yn y seiat wibiol honno mi ddysgais, er fy ngofid, nad oeddynt nac engyl na gwarcheidiol. Ni aethom, y diwrnod braf hwnnw, allan i'r priffyrdd. Bu bron imi orfod ychwanegu 'a'r caeau'. Sut y goroesais i'r gybolfa honno ni wn eto'n iawn. Dywedwyd imi droeon fod gan bob gyrrwr ei ddull ei hun, a'i fympwyon. Ni wyddwn gywired y gair hyd y bore heulog hwnnw ym Mehefin. Pan anogai un fi i gyflymu, haerai arall mai doethineb oedd pwyso ar y brêc; pan orchymynnai un basio'r cerbyd o'm blaen, llefai'r llall arnaf gadw o'i ôl. A phan sgrechiai'r brêc mewn poen neu neidio o'r cerbyd yn ing ei ansicrwydd, myfi, amadur truan, oedd y pechadur bob tro. Mi gredaf mai y bore hwnnw y daeth y blewyn brith i'm gwallt.

Bu trafod cynnes, fodd bynnag, a phenderfynu mai un o'r cyfeillion bondigrybwyll oedd i fod yn athro imi o hynny allan. Creadur hardd, yn glod i natur, a chanddo lais dwfn a threiddgar, na fyddai modd imi gamddeall un gorchymyn a lefarai. Ond rywsut, er aeddfeted ei brofiad, ac er treiddgared ei lais, ni lwyddodd i wneud gyrrwr ohonof. Bu ddygn gyda mi, nyrsiodd f'olwyno'n ofalus, ymdrechodd trwy deg a thrwy drais, arbedodd imi straen y trefi stwrllyd. Ac eto, wele f'amaduredd mor ddi-gonfensiwn ag erioed.

Ac un diwrnod yr oedd wedi rhoi prawf ar lawer dull a llawer modd, wedi'i yrru i weiddi'n ingol ac wedi gorfod fwy nag unwaith gymryd y llyw mewn anobaith. Yr oeddwn innau, gyda chymorth amryw wallau yn y peiriant, wedi cyflawni pob pechod dreifiol. Trodd y cyfaill ataf, ei lygaid wedi chwyddo gan flinder a'i wyneb yn

14

hagr-welw, a dweud, 'Mae'n rhaid i ddreifar allu deall beth sy'n digwydd ym mol y peiriant hefo pob gweithred o'i eiddo. Mae'n rhaid i'w feddwl o fod yn feddwl mecanyddol, gwyddonol. 'Does gen ti ddim meddwl sy'n gallu amgyffred hyd yn oed yr elfennau, clyts a brec a gêr'. A'i ddweud, nid mewn brwysgedd uchel, ond yn ddistaw ddiflas, fel un mewn breuddwyd ofnadwy.

Felly, mi fethais. Y mae'r cyfaill amyneddgar ers misoedd yn rhuo hyd y wlad hyd eithaf ei ddogn petrol. Y mae'r llyfr Saesneg celwyddog a honnai hawsed oedd gyrru modur wedi'i golli, nid yn anfwriadol. Y mae'r cerbyd wedi'i werthu. Gwastreffais fisoedd o'm deng-mlwydd-a-thrigain prin, ac ni bu imi ddim elw. Ond un ddamcaniaeth. Ni lwyddodd dyn erioed i yrru modur. Fe honnodd rhai fedru. Mi wn am rai a fedrodd. Ond nid bodau dynol mohonynt. Tebyg at ei debyg yw hi o hyd.

Cyn Oeri'r Gwaed, 21-24

Eisteddfota

'Duwcs! Hylô? Sut ma'i ers cantoedd?'

'O, hylô. sut hwyl sy?'

'Reit dda, achan. Sut wyt ti'n cadw?'

'Iawn, wsti.'

'Wyst ti be? Wyt ti'n mynd yn dew.'

'Tybed?'

'Wyt wir. Byta gormod tua'r De 'na. Hy! Hy! Hy! Sut ma petha'n mynd?'

'O, go lew wir . . . ie . . . go lew . . . a hefo tithe?'

'Reit dda, achan. Dim achos cwyno . . . Ia . . . '

'Ie, ie . . . '

'Ia, ia . . . . Mynd i mewn?'

'Ydw. Meddwl mynd i'r Babell Lên.'

'O, ia. Be sy 'mlaen?'

'Seiat Llenorion.'

'O. Wel . . . hwyl rŵan. Gwela i di eto, mae'n siŵr.'

'Mae'n siŵr.'

Cyrraedd y fynedfa ar ôl dim ond un sgwrs, drwy ryw wyrth. Ticed? Diolch fawr. 'Nciw. Bore braf. Ydi, wir. 'Beithio deil hi'n braf. Ia, wir. Ta-ta.

Dechrau llenwi'n barod. Ond canol y cae'n weddol glir. Reit. I mewn.

'Ia, wir. Indipendant iawn bora 'ma.'

'O, hylô!'

'Ar frys go wyllt i rwla?'

'Trio mynd i'r Babell Lên . . . '

'O, ia? Llenydda tipyn rŵan? Rhwbath ar y gweill?'

'Na . . . dim byd arbennig . . . '

'Ddim yn hitio cymaint am y nofal ddwytha 'na gen ti, achan.'

'O, ie?'

'Na. Alla i ddim deud pam chwaith . . . ddarllenist ti *Un Nos Ola Leuad* . . . ? Be ti'n feddwl o . . . ? Dy weld ti'n sgwennu'n o brysur i *Barn* . . . Ydi, mae o'n eitha ar y cyfan . . . Ddim at dâst pawb . . . Ia . . . Ia . . . ?'

'Wel, rhaid i mi fynd . . . '

'Ia, dyna chdi. Hwyl rŵan.'

Chwarter awr wedi mynd yn fan'na. Y cae'n dal i lenwi. Y seiat lenorion wedi dechrau ers deng munud. Tybed fedra i sleifio i'r dent lemonêd 'na . . . ?

'Helo. Misdar Elis?'

'Y . . . O, sut ydech chi?'

'Dech chi'n 'y nghofio i?'

'Y . . . rhoswch chi . . . '

'Triwch feddwl.'

Crafu cof yn orffwyll. Anobeithiol. Mi fyddwn yn tyngu na welais i 'rioed mo'i wyneb o'r blaen.

'Annie, ty'd yma gael iti gyfarfod Misdar Elis.'

Gwraig yn nesáu. A phlentyn, ac un arall, ac un arall. 'Rargien, mae rhai yn epilgar.

'Helô, sut ydech chi? Dda gen i'ch cyfarfod chi . . . ' (Hynna'n gwbwl onest; maen nhw'n bobol neis.) 'Wedi bod yn siarad yr yden ni, Misdar Elis.'

'O, ie?'

'Ie, siŵr.'

'Y . . . am be, felly?'

'Sidro tybed faswch chi'n dŵad i roi rhyw noson fach inni.'

'Noson?'

'Ie, y gaea nesa 'ma.'

'O . . . be . . . ?'

'Rhyw ddarlith fach, falle. Capel bach yden ni, fel y gwyddoch chi.'

'Wel wir, rydw i'n byw'n o bell . . . '

'Ie 'ntê. Ond meddwl, gan fod gennoch chi gar . . . '

'Mm. Wel na, wir, mae'n ddrwg iawn gen i . . . '

'Tewch.'

'Ie, wir.'

'Biti. Ie, wir. Rhywbryd eto, falle . . . '

'Dyna chi . . . '

Chwarter awr arall wedi mynd. Y seiat lenorion yn ei hanterth. *Rhaid* imi roi ras rŵan.

'Wel, wel, shwd ŷch chi 'te?'

'Y . . . O, sut ydech chi?' etc., etc.

'A shwd ŷch chi'n lico'r De? Mae e'n well na'r Gogledd, on'd yw e? (Tshycl direidus.) Pryd daethoch chi 'ma? Lle ŷch chi'n aros? Pryd ŷch chi'n mynd nôl? Mae'n dywydd ffein, on'd yw hi? Odi, wir . . . Shw ma pethe'n mynd 'da chi? O, *good*. Ma lot o bobol 'ma, on'd oes e? Os wir. *Good*.

Steddfod dda, medden nhw . . . Mae'n neis i chael hi'n ffein, ta beth. Odi, wir. Ma glaw yn difetha Steddfod On'd yw e 'te? O, wi'n falch fod pethe'n mynd yn *good* 'da chi. Wela i chi 'to, falle. *Good.*'

Wel, rydw i wedi colli'r agorwr. Ga i dipyn o'r drafodaeth, plis? Rydw i wedi treiddio canllath i mewn i'r maes. Camp syfrdanol. Rŵan, os câ i ddim ond . . .

'A sut ma Islwyn Ffowc heddiw?'

'Wel . . . ar i ffordd i'r Babell Lên ar y funud – '

'Ar fora braf fel hwn? Duwcs, ista lawr yn fanma am funud . . . isio gair hefo chdi . . . Sut wyt ti, inni gal dechra'n barchus? Dim ond yn Steddfod ma dyn yn gweld rhywun . . . '

'Wel, os gnei di f'esgusodi i – '

'Cymdeithas y Maes, achan. Dyna *ydi*'r Steddfod, wsti. Ty'd, ista, achan . . . '

Gwrthod eistedd am bum munud, a sefyll am hanner awr. Toc, eraill yn crynhoi. Cwmni glaswelltog o bedwar, pump, chwech. Hwn-a-hwn yn cyrraedd.

'Hylô, hogia? Duwcs, mi gollsoch drafodaeth dda yn y Babell Lên.'

'Be? Ydi hi drosodd?'

'Newydd orffen. Anfarwol. Un o'r petha gora – '

'Be sy 'mlaen rŵan?'

'Beirniadaeth y Nofel.'

'O, wel, esgusodwch fi, ma raid imi gael honno . . . '

19

Dianc. Y maes *wedi* llenwi. Gorfod ymwthio wysg fy ochor rŵan . . .

'Mr Elis?'

O, na!

'Dydach chi ddim yn 'y nabod i mae'n siŵr . . . '

'Nag ydw.' (Pigog braidd, mwya'r cywilydd imi.) 'Maddeuwch imi am ddŵad atoch chi fel hyn . . . Sidro tybed fasech chi'n gwneud cymwynas fach â fi . . . Wedi sgwennu nofel . . . Sidro tybed fasach chi'n bwrw golwg drosti?' 'Wel – .' 'Chymith hi ddim llawer o amser ichi.' 'Wel – .' 'Deud y gwir, rydw i wedi dŵad â hi efo mi . . . ma hi gin i yn fanma . . . ' 'Ie, wel – .' 'Mi dduda ichi be ydi'r plot yn fras . . . dim ond yr ymgais gynta, cofiwch . . . '

Pam y des i yma – ? Mi faswn wedi sgwennu pennod o nofel fy hun yn yr amser . . .

' . . . mi fydda i'n ddiolchgar iawn. Mi ro i 'nghyfeiriad ichi rŵan . . . cael gafael ar y bensal 'ma . . . '

Oes golwg ddiniwed arna i?

'Dŵad am damad o ginio, boi?'

'O, hylô, S – ? Wel, na, mynd am y Babell Lên roeddwn i, i glywed beirniadaeth y – '

'Wedi gorffen, wasi. Mi'i cei hi yn y *Cyfansoddiada*.'

Ydw, mae'n siŵr 'mod i wedi treiddio *ddau* ganllath i mewn i'r maes erbyn hyn. Wedi sefyll yn y ciw eisteddfodol a chnoi tipyn o'r salad eisteddfodol, mi a'i rŵan i dreulio pnawn eisteddfodol. O ddifri. Mi gyrhaedda i'r Babell Lên 'na, petae o'r peth ola wna i . . .

'*Excuse me.*'

Pwy g – ydi'r sbectol yma eto? A het ddigon i ddau.

'Ecsgiwsiwch fi'n intriwdio fel hyn. Goon Jones o'r States. Faswn i'n licio ysgwyd llaw efo chi.'

Faint mae hwn yn 'i gyfrannu at y Steddfod, tybed?

'Reit, wel . . . pnawn da, Mr Goon . . . '

'Hylô, sut rydach chi?'

Rydw i'n nabod hon.

'Yn o dda, Mrs Jones. A chithe?'

'Go symol, deud y gwir. Wedi cal yr hen gricmala 'ma ers tair blynadd, ylwch, ac mae o'n cau'n deg â 'ngadal i. A tydi'r ferch 'cw ddim hannar da. Glywsoch am 'y nghefndar wedi cal damwain, debyg? Ia, symol ydi o o hyd, wchi, a cheith o ddim dima o gompenseshion. Mae'n gwilydd iddyn nhw, cofiwch. Y gŵr? Na wir, tydi ynta ddim hannar da, ne mi fasa yma heddiw . . . '

Does dim eisiau dweud o ba ran o Gymru mae *hi*'n dŵad.

'Tad annwyl, drychwch pwy sy fanma! Wel, wel, sut ydech chi? Pryd daethoch chi? Pryd 'dech chi'n mynd yn ôl?'

'O, a shwd ŷch chi 'te? Odych chi'n enjoio 'ma? Mae'n neis i chael hi'n ffein, on'd yw hi?'

'Hylo.' 'Sut mae'n dŵad?' 'Sut hwyl?' 'Sut ma

petha'n mynd?' 'Shwd ŷch chi 'te?' 'Gwela i chi eto!' 'Reit-o!' 'Feri wel!' 'Da boch di!' 'Hwyl fawr!' 'Ta-ta!' 'Twdl-ŵ!'

O'r diwedd! Drws annwyl y Babell Lên. Y lle'n llawn. Curo dwylo gwresog. Diwylliant o'r diwedd. Y cadeirydd ar ei draed.

'Wel, dyna ni, gyfeillion. Mae hi bron yn bump o'r gloch, ac yn bryd inni dynnu gweithrediada'r dydd i ben. Diolch ichi i gyd am ych presenoldeb.'

A sut, meddwch chi, y cyrhaeddodd y *rhain* i gyd y Babell Lên?'

Naddion, 47-51

Comiwnist!

Eistedd yr oedd Harri wrth dân y parlwr bach. Yr oedd tanau mawr y Nadolig drwy'r tŷ wedi gyrru'r stoc lo'n isel, ac yr oedd Greta wedi dweud na fyddai dim tân yrhawg ond yn y gegin ac yn y parlwr bach. Trodd Harri dudalennau'r *Goleuad*, heb gael ynddo fawr at ddant gŵr didduw. Fodd bynnag, yr oedd wedi dod o hyd i rai sylwadau – rhagfarnllyd, yn ei dyb ef – ar Rwsia, ac wedi dechrau ymgolli, pan glywodd y drws yn agor a'i dad yn dod i mewn. Cododd ei olygon. Yn llaw ei dad yr oedd y gyfrol gyntaf o weithiau Lenin.

"Roedd ffenest dy lofft di'n clecian', meddai Edward Vaughan. 'Mi es i mewn i'w chau hi rhag iddi styrbio dy fam. Mi welais hwn wrth dy wely di.'

'Wel?' ebe Harri.

'Wyt ti'n ei ddarllen o?'

"Rwy' wedi darllen peth ohono.'

'Llyfr ar gomwnyddiaeth, mae'n debyg, gan ei fod o gan Lenin.'

'Ie.'

'Mae'n debyg fod a wnelo â'r gwaith 'rwyt ti'n ei wneud.'

'N-nac oes, ddim yn uniongyrchol.'

'Pam 'rwyt ti'n ei ddarllen o?'

'Neno'r annwyl, 'Nhad, all dyn yn ei oed ac yn ei synnwyr ddim darllen beth fynn o?'

'Pam 'rwyt ti'n colli dy dymer?'

''Dydw i ddim yn colli 'nhymer.'

'Wyt. 'Rwyt ti'n flin 'mod i wedi gweld hwn yn dy lofft di.'

'Wel, ydw'n naturiol. Wedi'r cyfan, mae llofft dyn a phopeth sydd ynddi'n breifat – '

'Yr unig bethe sy'n breifat ydi'r pethe y mae gan ddyn gywilydd ohonyn'hw.'

''Does arna' i ddim cywilydd 'mod i'n darllen Lenin – '

'Pam?'

'Am mai Lenin oedd dyn mwya'r ganrif yma – '

Brathodd Harri'i dafod. Ond yr oedd yn rhy hwyr. Yr oedd ei gyffes allan. Wedi'i gorfodi allan gan dwrneidod ei dad. Wel, yr oedd ei dad wedi'i mynnu, ac arno ef bellach yr oedd y cyfrifoldeb am ba beth bynnag fyddai'n dilyn. Rhoddodd Edward Vaughan y llyfr ar y bwrdd a sefyll gyferbyn â Harri, a'i ddwylo y tu ôl i'w gefn.

''Rwyt ti'n dweud,' meddai, 'fod dyn fu'n gyfrifol am gymaint o ddiodde a chymaint o nonsens yn ddyn mawr.'

'Nid Lenin oedd yn gyfrifol am y diodde',' meddai Harri. 'Y cyfalafwyr a'i gorfododd i wneud yr hyn wnaeth o oedd yn gyfrifol am y diodde'.'

''Rwyt ti'n siarad yn union fel comiwnydd, efo dy 'gyfalafwyr',' meddai Edward Vaughan.

'Pam lai?'

'Fe fyddi'n dweud nesaf mai cyfalafwr ydw i.'

'Dyna ydech chi.'

'Wyt ti'n 'y nghondemnio i?'

'Ydw.'

Safodd y gwythiennau'n leision ar dalcen Edward Vaughan, ac yr oedd ei lais erbyn hyn yn gwneud i'r ornamentau ddawnsio ar y dodrefn.

'Wyt ti'n 'y nghondemnio i am gasglu'r arian sy wedi rhoi d'ysgolion preifat a dy goleg iti, a phob cysur gefaist ti yn dy fywyd?'

'Ydw.'

'Duw faddeuo iti.'

A throdd Edward Vaughan a mynd i'r ffenest ac edrych allan i'r nos, fel petai'n gweld caeau Lleifior yn goch gan waed rhyfel cartref a gyneuwyd gan Harri. Murmurodd yn ddi-stop wrtho'i hun, 'Duw faddeuo iti, Duw faddeuo, Duw – '

Trodd at Harri drachefn.

'Fe dynnaist ti ddigon o gablu ar f'enw i pan sefaist ti fel gwrthwynebwr cydwybodol adeg y rhyfel. 'Rwystrais i mo'not ti. Mi ddwedais wrtha' fy hun: 'Pan â'r rhyfel 'ma drosodd, fe setlith y bachgen i lawr a bod fel pobol eraill.' A dyma ti rwan, wedi cymryd gafael yn y gred fwyaf anffodus sy'n cerdded y blynyddoedd yma. Fe wnei f'enw i'n yfflon. Pam gynllwyn na fuaset ti wedi ymuno â'r Blaid Genedlaethol, os oedd raid iti adael Rhyddfrydiaeth dy deulu? Mae 'na bobol ifanc ddigon call yn ymuno â honno heddiw. Ond Comiwnist!'

Cysgod y Cryman, 196-197

Y Tyddyn

Fel llawer nofelydd Seisnig arall, fe ddaeth awydd arnaf innau i 'sgrifennu nofel am Gymru. I mi, yr oedd Cymru yn dir glas yn llenyddol, nad oedd nofelwyr a dramawyr ond prin wedi cyffwrdd â'i ymylon. Gwlad estron wrth fy nrws, a dyn a ŵyr pa nifer o nofelau mawr yn ei chymoedd yn disgwyl am lenor i'w rhoi rhwng cloriau. Chwiliais y llyfrau taith am ardal ac am dafarn lle byddwn i debycaf o gael deunydd. Dewisais y Bedol ym Mhont Oddaith.

Am yr ychydig ddyddiau cyntaf ym Mhont Oddaith, ni wneuthum i ddim ond cerdded i fyny ac i lawr yr un stryd wyngalchog, dadfeddwi o'r awyr fynyddig, a gwrando ar y pentrefwyr ym mwmial â'i gilydd yn Gymraeg. Ni chlywswn erioed gymaint o Gymraeg. Gyda'r nos, yr oeddwn gyda'r dynion yn y dafarn, yn prynu am beint bob hen chwedl gwlad a oedd ar gof a chadw, ac yn araf ddethol fy nghymeriadau ar gyfer yr hen dafarn fach a fyddai yn fy nofel i.

Un bore, wedi imi fod yno wythnos, awgrymodd Tomkins y Bedol imi fynd i fyny am dro hyd Lwybyr y Graig. Yr oedd yr olygfa o ben ucha'r llwybyr i lawr ar y dyffryn yn fythgofiadwy, meddai Tomkins. Fe fyddwn i'n siŵr o'i mwynhau.

Gyda bod y gawod drosodd, mi gychwynnais. I fyny'r stryd wyngalchog, drwy lwyn o goed, ac yna troi oddi ar y ffordd galed drwy lidiart, ac i fyny'r llwybyr hwyaf a gerddais i erioed. Fe'i gwelwn o'm blaen, yn nyddu fel neidr hyd fin y llechwedd moel, i fyny hyd at dwr o goed yn cyrcydu ar y gorwel grugog. Gan nad oedd ond Medi cynnar, a'r haul wrthi'n sychu'r gwlybaniaeth gloyw oddi ar y glaswellt mynydd, yr oeddwn yn chwys diferol cyn cyrraedd hanner y llwybyr. Ond yr oedd yr olygfa ar y dyffryn, fel y dywedodd Tomkins, yn fythgofiadwy.

Ym mhen ucha'r cwm, sythodd y llwybyr a saethu'n felynwyn o'm blaen, drwy'r grug yr oedd defaid yn codi ohono fel caws-llyffant gwynion, yn syth i fuarth tyddyn. Nid oedd dŷ na thwlc i'w weld yn unman ond hwnnw. Yr oedd y tŷ unicaf a welswn i erioed.

Yn sydyn, rhwygwyd yr awyr gan chwiban miniog, a dechreuodd y defaid o'm cwmpas sboncio dros y twmpathau grug a'i gwneud hi am y tyddyn, a fflachiodd coleri gwynion dau gi meinddu, un o boptu imi, yn y grug. Trois fy mhen i weld o b'le y daeth y chwiban. Llai na chanllath oddi wrthyf, yn pwyso ar ffon fugail hwy na hi'i hun, safai merch.

Gwaeddais rywbeth arni ar draws y grug, ond nid atebodd. Yr oedd yn dal i syllu arnaf, fel petai am amddiffyn ei mynydd rhagof â'i ffon fugail fain. Cerddais yn araf tuag ati. Ciliodd hithau gam neu ddau yn ôl wrth imi nesáu. Aeth yr haul o'm

27

llygaid ac yr oeddwn yn syllu ar yr eneth yr oeddwn wedi'i darlunio i mi fy hun ar gyfer fy nofel. Yr oedd ei llun gennyf mewn pensil ar ddarnau o bapur yn fy nesg gartref. Yr un osgo, yr un wyneb, yr un llygad stormus, swil.

Fel dyn yn ceisio deffro o freuddwyd ac yn methu, gofynnais iddi beth oedd enw'r tyddyn y tu ôl iddi. Bu'n hir heb ateb, yn fy amau, hwyrach yn fy nghasáu.

'Blaen-y-Cwm,' meddai o'r diwedd, ac yr oedd ei llais yr un sŵn yn union â'r afon a glywn dros y boncen ar lawr y dyffryn.

'Yma'r ydych chi'n byw?' gofynnais.

Nodiodd ei phen.

'Beth ydi'ch enw chi?'

Gwibiodd ei llygaid. Yna tynnodd anadl wyllt, a throi, a rhedeg o'r golwg drwy lidiart y tyddyn. Ymlwybrais drwy'r grug a'r llwyni llus ar ei hôl.

Pan gyrhaeddais lidiart y buarth yr oedd dyn yn dod i fyny i'm cyfarfod. Yr oedd tyfiant tridiau ar ei ên, ac yr oedd ei ddau lygad yr un ffunud â dau lygad yr eneth.

'Bore da,' meddwn i wrtho.

'Bore da.'

'Chi ydi tad y ferch ifanc y bûm i'n siarad â hi gynnau?'

Rhythodd y dyn arnaf.

'Ddaru Mair siarad â chi?' meddai.

'Do,' meddwn i. 'Ydi hynny'n anghyffredin?'

'Mae'n anhygoel,' meddai'r dyn. 'Ddaw hi byth i olwg neb diarth. Dydi'r cymdogion, hyd yn oed, ddim wedi'i gweld hi ers blynyddoedd.'

'Cymdogion?' meddwn i, gan edrych ar hyd y milltiroedd moelydd heb weld tŷ yn unman.

'Dowch i'r tŷ,' meddai'r dyn.

Yn y tŷ yr oedd ei wraig, gwraig fach fochgoch, yn siarad fel lli'r afon, ac ambell air Cymraeg yn pelydru yng nghanol ei Saesneg carbwl. Cyn pen dim yr oedd lliain claerwyn ar y bwrdd a chinio'n mygu arno.

'*Come to the table and eat like you are at home. You want a* paned, *I know, after you climb* Llwybyr y Graig.'

Gwenais, a bwyta fel dyn wedi dod adref. Yr oedd fy nofel yn tyfu.

Buom yn sgwrsio ar hyd ac ar led, ac wrth ymadael gofynnais i'r dyn,

'Beth am ddod i lawr i'r Bedol am lasiad heno ar ôl cadw noswyl?'

Cododd y dyn ei lygaid llymion a dweud,

'Dydw i ddim yn yfed.'

''Roeddwn i'n meddwl bod y Cymry i gyd yn yfed,' meddwn i.

Ysgydwodd ei ben.

'Byth er pan fu John Elias yng nghapel Saron,' meddai, 'mae'r arferiad pechadurus hwnnw bron wedi darfod o'r ardal.'

Meddyliais am y dynion yn Y Bedol bob nos.

'O wel,' meddwn i, 'maddeuwch imi am grybwyll. Diolch yn fawr ichi'ch dau am eich croeso. Wyddoch chi ddim faint o werth fu o i mi.'

Safodd y ddau yn nrws y tŷ yn fy ngwylio'n croesi'r buarth, a'r haul ar draws y drws yn eu torri yn eu hanner. Agorais lidiart y buarth, a'i chau, a symudodd rhywbeth yn y cysgod. Agorodd y cysgod a daeth Mair allan i'r haul, mewn ffrog laes at ei thraed.

'Ho,' meddwn i, 'wedi gwisgo yn nillad eich nain, 'rwy'n gweld.'

Yr oedd fy llais yn wastad, ond yr oedd fy ngwaed yn carlamu. Yr oedd hi'n enbyd o hardd. Syllodd hi'n syth i'm llygaid.

'Mi wn i pam y daethoch chi yma,' meddai. 'Ond chewch chi byth mohono'i. 'Dydw i ddim yn perthyn i'ch hiliogaeth chi. Os ceisiwch chi 'nhynnu i o'r mynydd, oddi wrth y defaid a'r gylfinir a'r gwynt, chewch chi ddim ond llwch ar eich dwylo. Gwell ichi f'anghofio, anghofio ichi 'ngweld i erioed.'

'Ond Mair – '

'Peidiwch â 'nghyffwrdd i,' meddai, a chilio gam yn ôl. Ond yr oedd rhywbeth yn fy ngwthio tuag ati, fel petai rhywun o'r tu ôl imi yn cydio ynof ac yn estyn fy mreichiau tuag ati.

'Chewch chi mohono'i,' meddai eto, a chyda'r gair, troi, a rhedeg drwy'r grug, drwy'r haul, ar hyd y mynydd, a'i ffrog laes yn llusgo dros y twmpathau ar ei hôl. Minnau erbyn hyn yn ei dilyn. Yr oedd yn rhaid imi egluro iddi, ei bod wedi 'nghamddeall i, hwyrach wedi 'nghamgymryd i am rywun arall.

'Mair!'

Ond yr oedd hi'n dal i redeg, weithiau'n troi drach ei hysgwydd, yna'n rhedeg yn gynt. Yr oeddwn erbyn hyn yn benderfynol o'i dal. Yn sydyn, fe'i collais hi mewn pant. Rhedais i ben yr ymchwydd nesaf yn y tir, ond nid oedd olwg amdani yn unman. Eisteddais i adennill fy ngwynt. Daeth gwaedd o rywle draw i'r chwith. Sythais, a gwrando. Daeth y sŵn wedyn, a sylweddolais nad oedd ond dafad yn brefu rywle yn y twmpathau grug. Yn araf, ddryslyd, cychwynnais ar hyd y llwybr hir i lawr i Bont Oddaith.

'Blaen-y-Cwm?' meddai Tomkins yn y stafell ginio y noson honno. 'Does yr un lle â'r enw yna yn y cyffiniau yma, hyd y gwn i. Hanner munud.'

Agorodd Tomkins y drws i'r bar. Na, 'doedd yr un o'r dynion ifanc yn y bar wedi clywed am y lle.

'Ydych chi'n siŵr mai dyna enw'r tyddyn?' meddai Tomkins. 'Rhyw enw arall, hwyrach?'

'Tomkins,' meddwn i. 'Fedra' i'r un gair o Gymraeg. Fyddwn i'n debyg o fedru dyfeisio enw Cymraeg ar dyddyn?'

'Rhoswch chi,' meddai dyn canol oed gyda mwstás mawr melyn, yn eistedd yn y gornel. 'Dydw i ddim yn amau na fu lle o'r enw Blaen-y-

Cwm yn y cyfeiriad yna. Ond os Blaen-y-Cwm oedd hwnnw, mae o'n furddun ers blynyddoedd.'

'Wel,' meddwn i, 'mi gefais i ginio ffyrst clas yno heddiw, beth bynnag.'

'Ddwedwn i mo hynny ar y ffordd yr ydech chi'n bwyta rwan,' meddai Tomkins.

Y funud honno y sylweddolais i 'mod i wedi bwyta cinio digon i ddau.

Ni chysgais i ddim y noson honno. Yr oedd Mair ar fy meddwl. Nid oeddwn erioed wedi credu mewn cariad ar yr olwg gyntaf, ond yr oeddwn i'n dechrau tybio'i fod yn fwy na choel gwrach, wedi'r cyfan.

Bore drannoeth, mi fynnais gan Tomkins ddod gyda mi i fyny i Flaen-y-Cwm. Wedi hir erfyn, fe gytunodd. Gofynnodd imi aros iddo hel ei daclau pysgota ynghyd. Mae Tomkins yn gryn bysgotwr.

Yr oeddem ein dau yn chwysu cyn cyrraedd pen uchaf Llwybyr y Graig. Cyn dod i olwg y tyddyn, dyma eistedd ein dau i gael anadl a mygyn, a gorffwyso'n llygaid ar yr olygfa ysblennydd odanom.

'Wel rwan, Tomkins,' meddwn i, 'dowch ichi gael gweld Blaen-y-Cwm.'

Codi, a dilyn y llwybyr dros ben y boncen, a'i weld yn saethu'n felynwyn o'n blaenau drwy'r grug.

'Dacw Flaen-y-Cwm,' meddwn i, yn codi 'mraich i bwyntio, 'lle – '

Diffoddodd fy llais yn fy ngwddw. Yr oeddwn yn berffaith siŵr fy mod yn yr un lle ag yr oeddwn y diwrnod cynt, ond nid oedd arlliw o'r tyddyn yn unman. Dim ond milltiroedd ar filltiroedd o rug cochddu, yn tonni'n dawel yn y gwynt.

'Ymh'le?' meddai Tomkins, yn syllu arna'i'n amheus.

Methais â'i ateb. Yr oeddwn yn edrych o'm blaen, ar sypyn o gerrig duon yn ymwthio o'r grug lle y gwelswn i'r tyddyn ddoe.

Yn sydyn, rhwygwyd yr awyr gan chwiban miniog, a dechreuodd y defaid o'm cwmpas sboncio dros y twmpathau grug a'i gwneud hi am y murddun, a fflachiodd coleri gwynion dau gi meinddu, un o boptu imi, yn y grug. Trois fy mhen, a rhyw ganllath oddi wrthyf, yn pwyso ar ffon fugail hir, safai hen ŵr.

Croesodd Tomkins a minnau ato.

'Blaen-y-Cwm?' meddai'r hen ŵr. Cyfeiriodd â'i law tua'r twr cerrig duon. 'Dacw lle'r oedd Blaen-y-Cwm hyd ryw drigain mlynedd yn ôl. Mi glywais 'y nhad yn dweud stori ddiddorol am y lle.' Eisteddodd ar dwmpath a thanio'i getyn, a chymryd tragwyddoldeb i'w danio.

''Roedd 'Nhad yn cofio,' meddai, 'hen gwpwl yn byw yno, ac un ferch ganddyn'hw.'

'Beth oedd ei henw hi?' meddwn i'n ddifeddwl. 'Mair?'

Tynnodd y dyn ei getyn o'i geg.

'Mair *oedd* ei henw hi,' meddai. 'Sut y gwyddech chi?'

'Na hidiwch sut y gwn i,' meddwn i.

'Geneth swil iawn, mae'n debyg. Wyllt. Ond fe ddaeth rhyw ŵr bonheddig o Sais yma, ar ei drafel, a'i gweld hi. Mi gollodd ei ben arni, ac mi'i cipiodd hi i ffwrdd hefo fo gefn nos, i ffwrdd tua Llunden 'na rywle. Ac mi'i priododd hi. Fuon'hw ddim yn briod wythnos. Mi ddihangodd yr eneth adre yn ei hôl bob cam. Mi ddaeth y gŵr bonheddig yma ar ei hôl hi. Pan ddeallodd yr eneth ei fod o yn y tŷ, mi redodd allan, ac ar draws y grug, ffordd yma, heibio i'r lle'r ydech chi a finne'n eistedd rwan, a'r gŵr bonheddig ar ei hôl hi, draw tua'r pant acw welwch chi lle'r ydw i'n pwyntio. Ac yn fan'no mi ddiflannodd i hen dwll chwarel, na welwyd mohoni byth. 'Roedd rhai o'r cymdogion yn hel defaid ar y mynydd 'ma, ac fe glywson y waedd. Ie, yn y pant acw y diflannodd hi. Pant y Llances y byddwn ni ffor'ma yn ei alw o. Mae'n debyg mai dyna pam.'

Edrychodd Tomkins arnaf yn sydyn.

'Hawyr bach, ddyn,' meddai 'rydych chi wedi colli'ch lliw. Beth sy'n bod?'

'O, dim,' meddwn i. 'Hwyrach nad ydi awyr y mynydd yma ddim yn gwneud efo mi.

'Mi ddweda' ichi beth wnawn ni,' meddai Tomkins. 'Gorweddwch chi draw acw, ym Mhant y Llances, chwedl ein cyfaill, yng nghysgod yr haul, ac mi af innau i dreio fy lwc hefo'r enwair yn y nant.'

'Os nad ydi o wahaniaeth gyda chi, Tomkins,' meddwn i, 'fe fyddai'n well genny fynd yn ôl i'r Bedol.'

Cyn cychwyn, tra fu Tomkins yn syllu'n hiraethus draw tua'r nant, gwyrais innau i lawr a chodi tywarchen rydd o fin y llwybyr. Nid cynt yr oeddwn wedi cydio ynddi na chipiodd y gwynt hi o'm llaw, a'm gadael yn syllu ar y llwch mawn yn treiglo trwy fy mysedd. Cofiais beth a ddywedodd Mair. Llwch ar fy nwylo.

Yr wyf wrthi ers tro bellach yn sgrifennu fy nofel newydd. Ond nid nofel am Gymru mohoni.

Marwydos, 18-24

Cofio Tegla[1]

Min nos yn Aberystwyth. Dau yn sefyll yn neuadd Coleg Diwinyddol y Presbyteriaid. Meddai Eirian Davies,

'Dere gen i weld Gwynn.'

Mi wnes ryw esgus. Dydw i ddim yn cofio beth. Gwaith, ymrwymiad arall, rhywbeth. Ond rydw i'n credu mai rhyw fath o swildod – arswyd, hwyrach – a'm cadwodd i rhag mynd. Y noson honno.

Ches i ddim cyfle arall. Yn fuan wedyn fe fu farw T. Gwynn Jones.[2] Doeddwn i erioed wedi'i weld, ond o bell. Erioed wedi torri gair ag o. Chawn i ddim mwyach. Yn drist edifar yr es i, gyda nifer bach o 'nghydfyfyrwyr llengar, i'w angladd o.

Roedd Capel Salem, os iawn y cofia i, yn rhwydd lawn. Ar flaen yr oriel yr oedden ni'n eistedd, yn syllu'n synfyfyrgar ar un o actau'n Hanes, yn ymwybod i'r byw ag ymadael llong hardd arall parth ag Afallon, ac un o'n brenhinedd ni ar ei bwrdd. Doedd Cymry ifainc y dyddiau hynny ddim mor ddewr; roedden nhw'n barotach i wrhau i'w mawrion.

Does gen i ddim llawer o go am y gwasanaeth. Ond gan nad oes dim yn ddiflas yn y cofio, mae'n rhaid ei fod yn briodol, yn gwbl chwaethus. Ond yng nghanol y niwlen mae un darlun hollol glir. Tegla yn y pulpud. Yn sefyll fel y byddai bob amser yn sefyll mewn pulpud, yn dalsyth, hardd, ddisymud, un llaw wedi'i chroesi'n ofalus dros y llall. Ei wyneb main gwyn, dan ei gwmwl crychwallt arian, yn dal dau lygad mawr glas oedd yn dilyn y llong dros bennau astud y gynulleidfa. A'r llais tenau, undonog, cyfareddol hwnnw'n adrodd ei gyfeillgarwch â T. Gwynn Jones.

Y noson fawr honno, er enghraifft, pan oedd o'n aros ar aelwyd y Gwynn, a hithau wedi troi hanner nos, a'r bardd yn estyn llawysgrif 'Madog' ac yn dechrau'i ddarllen; a thoc yn ei gyffro'n codi ar ei draed i ymafael â'r dymestl ar fwrdd Gwennan Gorn. Ac yna, wedi tewi, yn eistedd. A'r ddau, Tegla ac yntau, yn gwrando ar ddistawrwydd syfrdan ei gilydd.

Dyna, hyd y cofia i, y tro cynta imi weld Tegla. Roedd o y pryd hwnnw yn tynnu am ei ddeg a thrigain, ac am a wn i nad oeddwn i'n disgwyl y byddai yntau cyn hir yn dilyn ei gyfaill. Bychan feddyliais i y prynhawn hwnnw y down i'n fuan i'w nabod o'n dda, ac y cawn i ymddiddan a gohebu ag o'n gyson am fwy na phymtheng mlynedd.

Yn blentyn, roeddwn i wedi darllen *Hunangofiant Tomi*, wedi chwerthin lond perfedd uwchben castiau Nedw ac wedi darllen, yn llai afieithus, *Y Doctor Bach*. (Doeddwn i ddim wedi hidio rhyw lawer am yr hen daid yn poeri'n gyson i'r un llecyn yng nghornel sêt y capel nes ei wneud yn dwll; ddim wedi dysgu gwerthfawrogi celfyddyd y portread; ddim wedi magu stumog at realaeth.) Ond ar wahân i'r tri llyfr yna, a *Gyda'r Glannau* a *Dechrau'r Daith*, mae'n gywilydd gen i ddweud mai ychydig o ddim arall ddarllenaswn i o'i waith o. Wedyn, yn ystod blynyddoedd ei nabod o, y darllenais i doreth y pentwr.

Ond fe fu gen i un cysylltiad anuniongyrchol ag o, yn ddiarwybod iddo, pan oeddwn i'n bur ifanc. Bachgen ysgol un ar bymtheg oed oeddwn i, ac yn ysgrifennu nofel. Roeddwn i eisoes wedi sgrifennu un fer yn Saesneg. Rhad arni! Doedd yr un Gymraeg ronyn gwell, am wn i, ond fy mod i, fel y bydd arddegyn yn fflamio gan ei ryfeddod newydd ei hun, yn tybio'i bod hi'n gampwaith. Fe fu agos i 'Nhad ei lladd hi hefyd, pan oeddwn i'n llechu yn y tŷ un prynhawn braf yn lle mynd i'r cae i senglu maip. 'Esgus ydi'r hen sgwennu 'ma o hyd,' meddai'n ddigon ffrom. Ond mi lwyddais i, a'r nofelét, i ddal y ddyrnod honno. Mae'n deg imi ddweud nad oedd neb balchach na 'Nhad pan ddechreuais i gyhoeddi llyfrau. Yn wir, roedd o'n rhy barablus falch o ddim rheswm wrth gymdogion a dieithriaid er fy nghysur i. Ond dyna fe; yn ôl y llên gwerin deuluol roedd o wedi dweud uwchben fy nghrud i: 'Waeth gen i be arall fydd o, os bydd o'n fardd.' Sef oedd hynny, wrth gwrs, bardd-bregethwr. Wele f'enw i.

Ond yn ôl at y nofelét. Roedd Llyfrau'r Dryw'n cynnig canpunt o wobr am nofel. Gwobr a gipiwyd yn rhwydd gan y Dr Kate Bosse-Griffiths am *Anesmwyth Hoen*, nofel a roddodd wefr i mi pan gyhoeddwyd hi.

Prun bynnag, Tegla oedd y beirniad. Chafodd fy nghampwaith i ddim llawer o ganmoliaeth ganddo. Fe ddwedodd yr hyn yr oedd rhaid ei ddweud, mai nofel anaeddfed oedd hi am garwriaeth ystrydebol rhwng llanc o ffarmwr cyffredin a merch y plas, a bod y *deus ex machina* – dyna pryd y dysgais i'r ymadrodd – wedi ffwndro'i diwedd hi. Chofia i ddim erbyn hyn pa ddiawlineb wnaeth y duw â'i beiriant, ond rydw i'n ofni i'r Bod flino amryw o'm nofelau eraill i hefyd, pan ddylswn i wybod yn well.

Ymhen blynyddoedd wedyn mi soniais wrth Tegla. Meddwl y caen ni'n dau chwerthin yn ddifyr uwchben y peth. Er syndod imi, fe aeth yn dawedog, braidd yn drist felly – er nad oedd o'n cofio dim, wrth reswm, am y nofelét arswydus honno. Ai tybed mai cofio'r oedd o fel y clwyfwyd yntau gan feirniaid, a meddwl y gallai hwyrach fod wedi torri impyn ifanc cyn iddo ddechrau blaguro? Mae arna i ofn yn fy nghalon, pe bawn i wedi digwydd nodi f'oedran ar lawysgrif y nofel, y byddai wedi rhoi rhyw damaid o'r wobr imi er mwyn fy nghalonogi. Roedd rhoi hwb i lenorion ifainc yn genhadaeth ganddo.

Mae llenorion cydnabyddedig yn amrywio'n ddybryd yn eu hagwedd at lenorion ifainc. Er enghraifft, pan oeddwn i'n fyfyriwr fe'm cynghorwyd gan un llenor amlwg[3] i beidio â chyhoeddi dim nes 'mod i'n ddeugain oed. Pe bawn i wedi gwrando ar y cyngor, fyddwn i hyd yma wedi cyhoeddi dim. Efallai mai hynny, ar lawer cyfri, fuasai orau.

Ond arall hollol oedd ymagwedd dau lenor amlwg yr ydw i'n ddwfn yn eu dyled. Un ydi'r Athro T J Morgan,[4] a'm cymhellodd i sgrifennu i'r *Llenor* cyn i'r cylchgrawn mawr hwnnw ddarfod amdano, ac a roddodd imi drwy eiriau tra charedig yr hyder i feithrin hynny o rwyddineb ysgrifennu a roed imi. Dydw i ddim yn credu y byddwn i wedi cyhoeddi cyfrol o ysgrifau oni bai am yr Athro Morgan. Y llall, wrth gwrs, oedd Tegla.

Chyhoeddais i'r un llyfr heb i Tegla sgrifennu llythyr maith ata i yn ei drin a'i drafod. Gorganmol y byddai bob tro, ac mi fentrais ddweud wrtho wedi cael ei lythyr yn gorganmol fy nofel gynta' mod i braidd yn siomedig na fyddai wedi beirniadu tipyn arni: y buasai hynny'n fwy o help. Bid siŵr, dyma lythyr arall, yn dweud yn y geiriau coetha'i fod wedi cribinio'r llyfr am feiau, ac mai'r unig fai y gallai feddwl amdano oedd fy mod i hwyrach wedi cynnwys ynddo ormod o Saesneg. Mi sgrifennais innau'n ôl i ddiolch yn fawr iddo am ddangos y bai ac i ddweud 'mod i'n cytuno. Does bosib yn y byd mai dyna'r unig fai welodd o yn y nofel. Ond dyna Tegla. Trin y prentis yn dyner: ei symbylu i ragorach gwaith drwy ganmol ei rinweddau a thewi am ei gamgymeriadau. Dyna, medd rhai addysgwyr cyfoes, ydi addysg dda.

Mi wn nad fi oedd yr unig gyw llenor a gymhellwyd ac a feithrinwyd ganddo fel hyn. Dyna brofiad Catrin Lloyd Rowlands, y gynta o'n hawduresau ifainc cyfoes i ennill gwobr y nofel yn yr Eisteddfod Genedlaethol. Tegla roddodd y wobr iddi hi, ynghyd â geiriau caredig iawn, yn Eisteddfod Llangefni ym 1957. Pan ddeallodd ei fod wedi gwobrwyo merch ifanc un ar hugain oed roedd ei lawenydd yn heintus. Y seren newydd oedd pwnc ei ymgom am wythnosau.

Roedd Catrin arall yn agos iawn at ei galon, sef Catrin Puw Morgan, merch y nofelydd Elena Puw Morgan, nofelydd na chawson ni ddim ond dwy nofel[5] yn dyst o'i dawn. Pan oedd y Catrin hon yn cipio prif wobrau yn Eisteddfod Genedlaethol yr Urdd roedd Tegla uwchben ei ddigon, ac yn darllen inni dameidiau o'i llythyrau byrlymus hi at 'Yncl Tegla': prawf ei fod yn dyfal feithrin hyder llenor ifanc arall.

Tebyg yw profiad John Rowlands. Mae un o ddoniau llenyddol disgleiria'r Gymru ifanc, Eigra Lewis Roberts, wedi datgan ei dyled hithau i Tegla. Ac mae'n siŵr fod eraill a allai dystio i werth y llythyrau sbardunol, y seiadau, a'r diddordeb tadol, craff. Ond nid y to ieuenga'n unig.

Un o storïau mawr Tegla oedd honno am y

ffordd y daeth un ferch i'w fywyd am yr ail waith. Fe ŵyr pawb hyddysg fod iddo dri phlentyn: yr ieuenga, Gwen; y mab, Arfor; a'r hynaf, Dyddgu – neu, fel yr oedd ei thad ac y mae pawb o'i ffrindiau'n ei galw hi, Dydd.[6] Ond roedd Dyddgu arall ym mywyd y teulu pan oedden nhw'n byw yn Llanrhaeadr-ym-Mochnant. Fe gollwyd cyswllt â hi am flynyddoedd. Ond un dydd, pan oedd Tegla – yn heneiddio bellach – ar grwydr ym Maldwyn, fe'i gwelodd hi ar ddamwain.

'Pum munud arall, ac mi faswn wedi'i cholli hi,' meddai, 'hwyrach am byth'.

Felly y daeth Dyddgu Owen yn ôl i fywyd Tegla a'i deulu. Pan fyddai Tegla'n aros ar ymweliad â'i modryb a hithau yn Ysgol Cyfronnydd – ysgol i blant araf yr oedd Dyddgu'n brifathrawes eneiniedig arni – a minnau'n weinidog ifanc yn Llanfair Caereinion, dyna'r pryd y byddwn i'n ei weld. Ar un o'r ymweliadau hynny y des i i'w nabod o gynta, a chael siarad ag o wyneb yn wyneb.

Dyna'r pryd, hefyd, y dechreuodd Dyddgu Owen ysgrifennu. A chyhoeddi, mewn olyniaeth gyflym gyffrous, dair nofel antur i Gymry ifainc: *Cri'r Gwylanod*, *Caseg y Ddrycin* a *Brain Borromeo*. Nid damwain, rydw i'n siŵr, oedd mai wedi ailadnabod Tegla y daeth Dyddgu Owen i adnabod ei dawn lenyddol ei hun.

Pa atgofion sydd am y seiadau cynnar hynny

gyda Tegla ym mharlwr rhiniol Ysgol Cyfronnydd ac ar ein haelwyd ninnau yn Llanfair?

Un. Tegla yng Nghyfronnydd, o'i go las. Newydd gael *Y Faner* ar fore Mercher, ac yn ei dweud hi'n enbyd. Hysbyseb hanner tudalen yn *Y Faner* – i gwrw. Oni allai papur cenedlaethol Cymraeg ymgynnal heb ymostwng i hysbysebu diod feddwol, oedd o'n werth ei gadw o gwbl? Minnau'n mentro ateb: roeddwn i'n derbyn y rhan helaetha o 'nghyflog o Gronfa Ganolog fy enwad, ac roedd fy enwad i'n buddsoddi'n drwm ar y pryd mewn *War Loan* a *Defence Bonds*. Roeddwn i, felly, yn byw ar enillion arfau rhyfel. Os na allai gweinidogaeth Tangnefedd ymgynnal heb broffid arfau rhyfel, oedd hi'n werth ei chadw o gwbl? Mi gredais y byddai'r ddadl honno'n lleddfu llid yr heddychwr mawr. Nid felly. Dydw i ddim yn cofio beth fu diwedd y ddadl, ond rydw i'n siŵr o un peth: nad fi gafodd y gair ola. Roedd ymennydd Tegla fel ellyn diwrnod oed. Chafodd o ddim diwrnod o addysg prifysgol, ond roedd angen mwy na gradd gyffredin mewn athroniaeth fel oedd gen i i droi llanw'r rhesymeg Degleaidd.

Atgof arall. Tegla'n fy holi, yn Llanfair y tro yma, am y 'cwrs gorffen' gawson ni yng Ngholeg y Bala. Digon diddorol, meddwn i, a dechrau sôn am y diweddar Brifathro Griffith Rees. A dyfynnu'i gyngor imi wedi imi dderbyn galwad i Lanfair (yn Saesneg, bid siŵr): 'When you walk down the high street in Llanfair Caereinion, remember that you are a man of God.' Gweld y tân glas yn cynnau yn llygaid Tegla. A chlywed y llais deifiol: 'Os ydech chi'n ŵr Duw, oes angen ichi gofio hynny ar ganol stryd Llanfair Caereinion?'

Un atgof eto. Uned allanol y B.B.C. wedi dod i Lanfair i recordio Pobl yr Ardal, ac yn cael te gyda ni. Tegla'n digwydd bod yno. Am Iesu Grist yr oedd y sgwrs, a Tegla oedd yn llefaru. 'Yr Arglwydd' oedd ei enw ar Iesu Grist bob amser. Ond yn hytrach na'r anghysur y byddech chi'n ei ddisgwyl wrth drafod pwnc mor ddelicet mewn cwmni mor gymysg, roedd pawb mor gysurus ddigyffro â phe byddid yn sôn am y tywydd. Hyd yn oed pan ddyfynnodd Tegla 'Fe safodd fy Mrenin ei Hunan', a'i lais yn anwastad gan deimlad, ni theimlodd neb mai amhriodol oed siarad felly wrth fwrdd te. Mi welais ac mi glywais rai ar aelwyd yn cythru i weddi neu i ddarllen o'r Ysgrythur fel bustych ar eu cythlwng, gan yrru brodyr gwannach i'w cregyn. Tegla oedd yr unig un i mi'i glywed yn sôn am 'Yr Arglwydd' heb i'w wrandawyr sylwi, bron, fod y pwnc wedi newid.

Mae'n deg imi ddweud i Tegla ymdrechu'n galetach na neb i 'nghadw i yn y weinidogaeth – neu, fel y mae'n well gen i ddweud, yn y fugeiliaeth ffurfiol. Fe geisiwyd cadw'n gyfrinach pwy oedd awduron Portreadau'r *Faner*, ond cyn bod wedi darllen hanner dwsin o linellau mi wyddwn mai

Tegla oedd awdur fy 'mhortread' i. Roedd ei arddull yn un o'r rhai hawsaf i'w nabod. A'i frawddeg allweddol oedd, 'Yn y weinidogaeth y mae ei le.' Roedd hynny 'mhen sbel wedi imi adael y barchus arswydus, ac yn dangos gymaint ei siom mod i wedi gollwng cyrn yr arad.

Roedd yn amlwg hefyd mai Tegla oedd awdur y Portread o'r Dr Tecwyn Evans. Roedd cryn dipyn o grafu yn y portread hwnnw, ond dim cymaint ag yn ei ysgrif goffa i Tecwyn. Mi fûm i'n myfyrio'n hir uwchben honno, yn methu deall sut y gallai cyfaill sgrifennu mor finiog am gyfaill marw.

Ond roedd rhyw bethau na allai Tegla mo'u goddef o gwbl oll. Mae'i ysgrifau'n dyst i'r casbethau i gyd: hunanbwysigrwydd, pomp, anghysondeb, gwanc dynion bychain am swydd a safle a sylw. A doedd dim gobaith i bregethwr poblogaidd cyrddau mawr – cyfaill neu beidio – ddianc rhag y fflangell. Oherwydd i Tegla doedd a wnelo hwyliau mawr cyfarfodydd pregethu ddim oll â gwir bwrpas pregethu.

Mi wn i pwy oedd ei ffefrynnau ymysg Cymry amlwg heddiw. Mi wn i hefyd pwy yn eu mysg oedd yn golledig yn ei olwg. Dwy restr oedd ganddo: un wen ac un ddu. Fe allai wneud i mi deimlo'n euog, oherwydd mae gen i restr ganol lwyd ac arni enwau amryw byd o Gymry sy'n dra gwerthfawr er nad ydw i ddim yn hoff ohonyn nhw'n bersonol (petai hynny o unrhyw bwys), neu'n hoff gen i er nad ydyn nhw'n dda i ddim i'w gwlad nac i'w heglwys nac i neb arall, hyd y gwn i. Ond i Tegla, gwamalrwydd fyddai rhestr o'r fath. Iddo fo, fel i'r Mudiad Efengylaidd a Chymdeithas yr Iaith, roedd defaid ac roedd geifr, a byth nid âi'r ddeuryw'n un.

Mae deunydd cyfrolau yn Tegla: yn y dyn, yn yr apologydd Cristnogol mawr, yn y llenor. Ond ysgrif ydi hon, a rhaid crynhoi.

Dydw i ddim wedi ceisio cloriannu'i gyfraniad llenyddol yma. Barn amryw o'n beirniaid, o dair cenhedlaeth, yw nad oedd yn llenor o bwys. Rydw i'n anghytuno â'r farn honno, er 'mod i'n sylweddoli bod y pwysau beirniadol ar yr ochr arall.

Rydw i'n credu y dylwn i ddweud hyn. I farnu'n deg gyfraniad Edward Tegla Davies i lenyddiaeth Cymru mae'n rhaid darllen oddeutu deugain o lyfrau. Tipyn o ddarllen! Fe ellir wfftio *Gyda'r Glannau* neu wneud ceg gron uwchben *Gŵr Pen y Bryn* neu dynnu trwyn ar *Y Foel Faen* neu droi *Y Ffordd* heibio gydag 'Ie, wel . . .' Ond nid llenor a gofir oherwydd un llwyddiant llachar mo hwn. Mae dyfarnu Tegla'n eilradd ar sail unrhyw ddau neu dri o'i lyfrau yn union fel barnu Daniel Owen yn ôl *Offrymau Neilltuaeth* neu Rowland Hughes yn ôl 'Y Ffin' neu W J Gruffydd yn ôl 'Sionyn'.

Beth bynnag fydd consensws y farn lenyddol yng Nghymru ymhen canrif eto ar waith Tegla – a bwrw bod consensws o unrhyw fath yn bosibl byth mewn gwlad mor Geltaidd â hon – fe fydd yn amhosib sgrifennu hanes llenyddiaeth Gymraeg heb roi lle go helaeth iddo. A hynny am reswm eitha syml. Llenor i ddadlau'n ddiderfyn yn ei gylch yw Tegla. Ni ellir rhoi'r caead arno am byth fel y gwnaed ar Marie Corelli. Ychydig, efallai, fydd yn barod i ddadlau mai *Gyda'r Blynyddoedd* yw hunangofiant Cymraeg gorau'r ugeinfed ganrif, ond mae rhywun yn mynd i ddweud hynny mewn cenhedlaeth ar ôl cenhedlaeth. Mae rhywun mewn to ar ôl to yn mynd i ddotio ar *Tir y Dyneddon*. Mae rhywun yn mynd i fwynhau Nedw. Mae rhywun yn mynd i ryfeddu eto at eglurebau meistraidd y cyfrolau ysgrifau ac at ddeifioldeb didrugaredd *Rhyfedd o Fyd*.

Os peidir â sôn am Tegla fe beidir â sôn, yn sicr, am Brutus; yn bur debyg, am Emrys ap Iwan; ac efallai, hyd yn oed, am Ellis Wynn a Jonathan Swift.

Prun bynnag, mae'n rhaid i unrhyw feirniad a ddarllenodd y deugain llyfr, neu hyd yn oed nifer rhesymol ohonyn nhw, gytuno ar un peth: faint bynnag fydd gwerth creadigol parhaol toreth ei waith, fod Tegla'n un o'r tri neu bedwar ymennydd llenyddol galluocaf a ddefnyddiodd y Gymraeg yn ein canrif ni.

[1] Bu Tegla farw 9 Hydref, 1967.
[2] 7 Mawrth, 1949

[3]Syr Thomas Parry-Williams oedd y llenor amlwg.
[4]Yr oedd yr Athro Morgan yn fyw pan
  gyhoeddwyd yr ysgrif hon.
[5]Fe gyhoeddodd fwy na dwy.
[6]Nid oes yr un o'r tri yn fyw heddiw.

Naddion, 150-156

Ich liebe dich

Lledorweddodd Karl ychydig oddi wrthi, ei gorff glas hir yn lluniaidd lonydd yn y glaswellt, yntau hefyd yn edrych ar y dyffryn. Ac ni fu dyffryn haws edrych arno. Gorweddai megis ar osgo oddi tanynt, ei lechweddau uchaf yn foelion ar wahân i'r gwrychoedd a'r ambell goeden, a'r creaduriaid, bob un â'i smotyn cysgod du dano, fel petaent wedi'u pinio'n ddisymud ar y caeau hir. Yn is i lawr dechreuai'r ffermydd, yn goch mewn brics neu'n wyn gan wyngalch yn ôl mympwy'u cyfaneddwyr, ac o'u cwmpas, y coed. Coed oedd gogoniant Dyffryn Aerwen, ac yr oeddynt yma i gyd; y larwydd a'r ffynidwydd yn dyrfaoedd clos ar gyrion y ffriddoedd, yr ambell dderwen a'r ambell onnen ar ganol y caeau, bob un yn sefyll mewn pwll o gysgod, y bedw coeswyn a'r castanwydd corfful a'r masarn, y ffawydd a'r aethwydd a'r rhes hir o boplys ar gwr Brynyfed, a'r cyll, wrth reswm, ym mhobman. Ac ar lawr isaf y dyffryn, drwy ganol y gwyrddlesni coediog cyfoethog, gwibiai ambell saeth arian o ddŵr Aerwen, yn llygad byw i'r cyfan hyd yn oed ar ddiwrnod mor ddiog o haf.

'Am beth ydech chi'n meddwl, Karl?' ebe Greta, yn ddi-ofal ennyd gan awyr y mynydd a'r harddwch o'i blaen.

''Roeddwn i wedi peidio â meddwl,' ebe Karl.

'Ni all dyn *feddwl* pan wêl beth fel hyn.'

''Roeddwn i'n meddwl gan mor ddistaw oeddech chi,' ebe Greta, yn fwy diofal fyth, 'eich bod chi'n meddwl am Maria.'

Nid edrychodd Karl arni.

'Myth yw Maria,' meddai'n bell. 'O na, mae hi'n bod. Mae merch o'r enw Maria mewn siop flodau yn Frankfurt y funud hon, ac yn gymaint o gig a gwaed â chi a minnau. Ond chwedl yw hi. Breuddwyd. Fy syniad i am orau fy nghenedl fy hun, yn gysur imi pan oeddwn i'n unig.'

''Dydech chi ddim yn caru Maria?' ebe Greta, heb edrych arno yntau.

'Nid wyf erioed wedi caru ond un.'

Gwthiodd Greta'i dannedd i'w gwefus.

'Pwy?' meddai'n floesg.

'Fe wyddoch chi pwy.'

Oedodd Karl cyn chwanegu.

'Nid wyf wedi ymyrryd â chi, Greta, am ichi fod yn briod ac yna'n weddw. Ac . . . rhaid cyfaddef . . . am i mi fod yn llwfr a'ch gadael i lithro i briodas anhapus. Efallai na allwch chi faddau hynny.'

Gwasgodd Greta'r dagrau poethion yn ôl.

''Rydw i wedi maddau,' sibrydodd, yn dal i edrych ar y Dyffryn.

Trodd Karl ei ben ac edrych arni ar draws y llain mwsoglyd.

'Gan hynny,' meddai, ''Rwyf yn dod i'ch hawlio i mi fy hun.'

Gwelodd Greta'r Dyffryn yn nofio o'i blaen, a'r mynydd fel petai'n siglo dani. Yr oedd Karl wrth ei hochor, a chlywodd ei fraich yn cloi am ei chanol ac yn ei gorfodi'n dyner i lawr i'r grug. Edrychodd i fyny i'w wyneb, i'r llygaid a oedd yr un lliw yn union â'r awyr y tu ôl i'w ben.

'Glas ydyw lliw fy llygaid i, Greta,' ebe Karl yn gellweirus. 'Mae fy ngwallt a'm llygaid yr un lliw â'ch gwallt a'ch llygaid chi. Mae arnaf ofn na allwn ni ddim cydfyw.'

'Karl . . . y gwirion . . . ' Methodd Greta â mynegi'r medd-dod a oedd arni.

'Ydych chi'n cofio,' meddai Karl, 'y gorchymyn roesoch chi imi ryw noson bell yn ôl yng nghegin Lleifior?'

'Yn well nag yr ydw i'n cofio dim,' ebe Greta. 'Cusanwch fi Karl, da chi – dyna'r geirie ddwedes i.

'Ac fe gymerodd dair blynedd a hanner imi ufuddhau.'

Daeth gwefusau Karl i lawr yn llawer rhy araf ac asio â'i gwefusau hi. Gwasgodd hi ef ati'n orffwyll, a'r ofn ynddi fel peth byw.

'Peidiwch byth â 'ngadael i eto, Karl.'

''Does dim rhaid ichi ofni. Allaf i ddim byw heboch chi, Greta. 'Rwy'n eich caru chi.'

'Dwedwch o mewn Almaeneg.'

'Ich liebe dich.'

"Ti' ydi 'dich,' yntê? Rhaid ichi ddweud 'ti' wrtha'i yn Gymraeg hefyd.'

"Dyw Nghymraeg i ddim yn ddigon sicir – '

'Ydi, mae o.'

"Rwy'n dy garu di, Greta.'

'Ac 'rydw inne'n dy garu dithe. A phaid â'i anghofio byth.'

Sobrodd Greta ychydig.

'Gareth druan fydd yn gorfod ein priodi ni,' meddai. 'Mae'n arw genny' drosto fo.'

'Paid â gresynu drosto,' ebe Karl. 'Mae'n well arno hebot ti.'

Pinsiodd Greta ef.

"Dydw i ddim yn meddwl yr a'i i fyw i Sir y Fflint wedi'r cwbwl. Mae'n anodd i Marged wneud ei hun yn Lleifior. Ac wyddost ti beth, Karl?'

'Beth?'

"Dydw i ddim yn meddwl bod gwartheg wedi mynd i'r ŷd chwaith. Un o dricie Gwdig oedd honna.'

'Mi wyddwn i hynny cyn dod,' ebe Karl.

Rhythodd Greta arno.

'Karl Weissmann . . . ! O . . . sobor, yntê. Frau Weissmann fydd f'enw i cyn bo hir. Sut y galla'i fynd drwy fywyd gydag enw fel 'na?'

Chwarddodd Karl ei chwerthiniad persain anamal. Gwthiodd ei law drwy'i chyrls.

'Ydi o'n bechod bod yn hapus, Karl?'

Edrychodd Karl unwaith eto ar y Dyffryn.

'Nac ydi,' meddai, 'os yw'n hapusrwydd creadigol wedi'i roi gan Dduw ar ôl llawer o ofid.'

'Hmmm,' meddai Greta. 'Mae'n debyg y bydd raid i minne fod ar delere siarad â Duw eto rwan, gan fod 'y narpar-ŵr ac Yntau'n gymaint o bartnars. A rwan, wedi cwblhau busnes mawr ein bywyd, beth am gwpaned o de?'

Yn Ôl i Leifior, 346-349

Ar Lwybrau Amser

Y mae llawer blwyddyn er pan gollais i fy mhen ar beiriant amser H G Wells. Yr adeg honno yr oeddwn i'n cymryd Wells o ddifri, yn ei lyncu'n gyfan ac yn ail-freuddwydio'i freuddwydion ef drosodd i mi fy hun. Yr oedd ymosod ei fodau anhydraeth o Fawrth ar Lundain mor real i mi ag ymosod y Siapaneaid ar yr Harbwr Perl; yr oedd llywodraeth filain y Morlocks ar y dyfodol pell mor bosibl â llywodraeth Gauleiter Natsïaidd ar Ogledd Cymru. Wells oedd bwyd fy nychymyg wrth droi gwair ar ffriddoedd Dyffryn Ceiriog.

Ond ei beiriant oedd wedi goglais f'ymennydd i. Peiriant o gwarts a metel nad oedd eisiau i ddyn ond eistedd arno a thynnu lifar, ac i ffwrdd ag ef i orffennol neu ddyfodol heb gymaint â chwmwl o fwg ar ei ôl yn y parlwr lle bu. Yr oedd hwn yn syndod i mi. Nid oedd fod Wells yn ei ddefnyddio i yrru ergyd ddamcaniaethol adref wedi gwawrio arnaf y pryd hwnnw, ac nid yw o wahaniaeth eto, am wn i. Yr oedd gwibdeithio'r teclyn yn agor panoramâu godidog – gogoniannau pensaernïol dynolryw wedi cyrraedd penllanw mewn dawn a medr; nid oedd sôn am ras. Byd heb ddraenen na phryfyn, yn lawntiau ac yn erddi i gyd, a dyn ar y goriwaered, heb un anhawster mwy i dynnu'i orau ohono. Byd a dyn wedi darfod, a dim o'i fewn ond ymlusgiaid, yn ymlwybro yn ei saim eu hunain hyd lannau môr marw, a'r haul yn codi ac yn gostwng heb adael y gorwel, fel oren anferth goch.

O am gael benthyg y peiriant cyfaredd, a'i lywio lle y mynnwn i, ymlaen ac yn ôl, i wawr a machlud y ddaear! Ond wrth gwrs, nonsens oedd y stori i gyd. Nid oes neb eto wedi gwir ddarganfod y peiriant, ac ni wn i a oes a'i dargenfydd byth.

Ac eto, 'rwy'n methu'n lân â gadael llonydd iddo. Pan fyddaf i'n syllu i'r ffriddoedd fel y byddwn i'n syllu'n llanc, ac yn gweld dinasoedd yn tyfu arnynt lle nad oes yn awr ond caeau, ac yn meddwl pa fath le fydd yma wedi i mi fynd, a pha fath rai fydd disgynyddion fy nisgynyddion i, mi rown i f'anadl am beiriant fel peiriant Wells. Neu pan ddof i ar draws brawddeg mewn llyfr hanes: 'Ni wyddys i sicrwydd pa ffurf oedd i anheddau dynion yn y cyfnod hwn' – Wel, go fflam! Byddai gallu mynd yno i weld yn setlo'r ansicrwydd i gyd.

Ond pe cawn i'r peiriant, i b'le'r awn i? Dyna gwestiwn. I'r dyfodol yn sicr, i weld pa fath fyd fydd ar Gymru pan dry'r ddalen nesaf. Cymru gwbwl Gymraeg neu Gymru Saesneg neu Rwseg; Cymru rydd neu Gymru na fydd yn Gymru. Ymlaen heibio i filiwn o fachludoedd, i weled pa siâp fydd ar Ewrop. A chwelir yr ieithoedd sy'n siarad heddiw i ieithoedd mwy hylif, fel y chwalwyd Lladin yn dair a rhagor, a Thewtoneg a Chelteg yr un modd? Rhai'n fyw, rhai'n farw, a'r rhai byw wedi newid ac ymbriodi y tu hwnt i'm dychymyg i. Mae'r dyfodol yn rhy fawr a rhy niwlog. A hwyrach . . . wn i ddim . . . na fydd dim dyfodol o gwbwl . . . dim ond i'r sêr a'r cacimwnci.

Ond y mae gorffennol. Nid yn unig fe fu, y mae. Y mae yng nghastell Caernarfon ac yn Eglwys Llangelynin; y mae ym mhont Llangollen ac ar Sarn Elen; yn *Enoc Huws* ac yng nghadair siglo fy nain. Gellwch wadu'r dyfodol pan fynnoch, ond ni ellwch wadu'r pethau hyn. Maent yma gyda ni fel yr oeddynt gyda'r gwŷr a'u gwnaeth, ac yn dystion fod gwŷr a'u gwnaeth.

Ac i weld y gwŷr hynny y carwn i fynd. I'w gweld yn y cnawd ac i sgwrsio â hwy trwy gymylau pibell glai ac yn aroglau snisin. Y teilwriaid yn ffau Daniel Owen a'r saer yn naddu'r gadair siglo; y masiwniaid ar bont Llangollen a'r Brythoniaid yn palmantu Sarn Elen dan regfeydd y canwriaid gloywon. Ac ymhellach na hynny, efallai.

Ni buaswn yn teimlo fel ymdroi yng Nghymru yn oes Victoria. Nid yng Nghymru y ganed Victoriaeth. Peth benthyg ydoedd yma. Mi awn i'r lle y ganed ef, i ymyl Victoria'i hun. Mynd i theatr yn Llundain drwy'r niwl mewn cab hansom, a'i glychau'n gymysg â bloeddio bechgyn hanner noeth yn gwerthu matsis. I mewn dan y lampau nwy i'r *foyer*, i ganol peswch gofalus y dandïaid, ac i fwrllwch aroglus y chwaraedy i weld Irving yn chware Hamlet. O'm cwmpas, y gwŷr cyhyrog unbenaethol, eu gwallt yn gymysg â'u coler a'u hwynebau trymion ynghladd mewn locsun, ac wrth eu hochor eu gwragedd tyner angylaidd, yn barod i wlychu neisied â dagrau cyn eu hannog bron. Dyddiau Gladstone a Disraeli, ac wynebau cenedlaetholwyr ifainc o Wyllt Walia'n dechrau britho dalennau *Punch*. Dyddiau'r frawddeg drom a'r cerdded trymaidd, parlyrau'n gwegian dan ornaments a'r niwl yn dew gan ddiciâu. Eu gadael am fy mywyd, o glyw'r gwerthwyr matsis a sobian gwragedd caethion, i b'le?

I Gymru'n ôl, i'r ddeunawfed ganrif. I'r dydd pan oedd egni'n cynnau, ac argyhoeddiad yn gyrru gwŷr ifainc drwy'r nos heb gysgu a thrwy'r dydd mewn dillad gwlybion. I gegin hen ffermdy a'i dderw'n dawnsio yng ngolau'r tân, a Williams o Bantycelyn yn cynnal seiat yn y gwyll cynnes. Pob llygad ar ei lygaid ef, a geiriau'r bywyd yn gwreichioni ar ei wefusau nwydus. Ac wedi'r seiat, a'r ffarwelio, a'r cyd-longyfarch fod yr achos ar gynnydd, gwylio'r lanternau'n siglo hyd y corsydd, a gwŷr a gwragedd wedi'u lapio yn eu gwlân Cymreig yn cerdded ar awyr er gwaetha'u clocsiau. Dyddiau gwych, er meined y gwynt ac er caleted y byw, am fod Cymru'n dysgu darllen a chanu a Methodistiaeth yn ymystwyrian yn y groth.

O'r tywyllwch yn ôl i olau dydd. O'r gaeafau dreng i ganol meillion a rhaeadr o ganu adar, Mai yn Lloegr ac Elisabeth ar yr orsedd. Llanciau mewn dwbleri rhesog a sanau tynion a'u cariadon ar eu breichiau, yn rhigymu ac yn caroli ac yn chwerthin fel na chwarddodd eu tadau ers canrifoedd. Lloegr yn ymystwyrian yn awr, yn deffro o'i hofergoel hir, a Shakespeare yn dwrdio'i actorion yn y chwaraedy coed. Cleddyfau'n tincial yn y dafarn, a cheffylau'n chwyrnellu hyd y strydoedd coblog drewllyd lle mae gwragedd yn rhegi'i gilydd yn aflan o lofft i lofft ar draws y stryd uwchben. Y mae dawnsio ifanc ar y gwyrdd ar Galan Mai, a phiwritaniaeth yn cerdded yr heolydd mewn het bigfain a choler wen. Ac yn y llys mae ysblander, ac yn yr ysblander gusanau anllad a chynllwynio a thynnu gwaed mewn cyfranc ar doriad gwawr. O lygredd y llys, ynteu, ac o ddrewdod y cwterydd, yn ôl.

Yn ôl, hwyrach, i Ffrainc, lle mae Siwan o Lorraine yn annos ei gwerinwyr geirwon ar furiau Orleans. Drwy'r dyffrynnoedd sychion yr ânt, yn fyddin flewog safndrwm, a'r haul yn crasu'u crwyn. Dan gysgod y creigiau gleision a'r chateaux arnynt, ymlaen ar ôl y ferch o ddwyfol ordeiniad, a chas at y Saeson yn gwasgu'u dyrnau'n dynnach am eu gwaywffyn. Ond er fy mod i'n werinwr fel y cannoedd a duthiai ar ôl Siwan drwy haul a thân, y mae rhyw flas slei i mi ym moeth palas Versailles, yn nydd llachar Lewis Bedwar-ar-ddeg, yng nghyfeddach y dugiaid ac yn nharan olwynion coits y mawrion rhwng llethrau'r olewydd. Ac yn rhywle, dan ffenestr agored yn y Midi, y mae trwbadŵr yn tynnu'i fysedd dros dannau yng ngolau'r lleuad, ac ar draws y dyffryn y mae'r mynaich yn udo'u gweddïau llwydion ar awr weddi ola'r nos. Ond mae hynny'n bell iawn yn ôl.

Ond nid yn ddigon pell. Beth sydd y tu ôl i Grist yn y canrifoedd niwlog? 'Rwy'n brysio heibio i Bentecost a Chroglith, rhag fy nghael fy hun yn Roegwr bydol yn gwawdio neu'n filwr Rhufeinig yn curo hoelion i groes. Yn ôl, heibio i dabyrddau'r Macabeaid a llefain y bugail o fryniau Tecoa a'r wylo wrth afonydd Babilon, yn ôl i'r hen Aifft. Nid oes yno ddim cynnwrf yn y gwres. Mae'r cychod hwyliau'n llonydd uwch eu lluniau yn nŵr afon Nil, a phob palmwydden â sypyn crin o ddail ar ei phen. Draw dros y milltiroedd melyn mae Memffis, yn crynu yn yr haul, yn wynnach na'r eira. Yno, ar y balcon, mae'r Ffaro, yn gwylio'i gaethion yn gosod maen ar faen, yn codi gwareiddiad cynta'r byd.

I mi heddiw, nad wyf Eifftolegwr, cybolfa ddi-drefn yw'r hen Aifft. Cybolfa o byramidiau a hieroglyffau, teirw a chathod maen, Ffaroaid melyn yn llercian ar orseddau gwenithfaen, a chaethion yn siglo gwyntyllau plu uwch eu pennau'n araf; ac yn tasgu'n ffyrnig drwy bopeth – yr haul. Ond ped elwn i yno, a byw, a bod yn offeiriad stwbwrn i anifail o dduw fel yr wyf heddiw'n weinidog efengyl, fe gliriai'r gybolfa ac fe giliai'r hud. Byddai byw dan y Ffaroaid fel byw ym mhobman, nid yn freuddwyd gogleisiol mwyach, ond yn fatel wenwynig am fara a chaws fel y mae ym mhob oes. Byddai farw'r cyfaredd dan lethdod gwres a brathiad moscito, fel y lleddir ef heddiw gan ruthr peiriannau a chysgod yr ystlum atomig. A dim ond gweld gwely afon Nil yn sychu'n graciau a chlywed sgrech caethwas dan chwip y meistr tasg, a gwrando preblach llyffaint yn y selerydd wedi nos,a byddai felys gennyf fi fyw yn rhywle ond yn yr hen Aifft.

Hwyrach, wedi'r cwbwl, nad yw'r ugeinfed ganrif yn ddrwg i gyd. Hwyrach fod ynddi hithau ryw hudoliaeth nas gwêl ond yr hanesydd fydd yn edrych yn ôl o'i lyfrgell ym mherfedd y gwareiddiad nesaf. Fy namcaniaeth i yw y bydd hwnnw wedi llwyddo i lunio peiriant fel peiriant Wells, ac y daw'n ôl yma, a'r blynyddoedd yn chwyrnu heibio iddo fel dalennau llyfr yn y gwynt. 'Rwy'n lled obeithio cyfarfod y gŵr hwnnw ryw gyda'r nos cyn imi adael y ddaear, yn sefyll yng nghyfrwy'i beiriant, yn siliŵét rhyngof a'r machlud ar ysgwydd bryn, neu'n waed i gyd yng nghanol coeden eirin mair yn yr ardd, lle y bydd parlwr ddwy fil o flynyddoedd i heno. Hynny yw, os bydd rhywun yn bod ddwy fil o flynyddoedd i heno, heblaw'r cacimwnci, a'r sêr.

Cyn Oeri'r Gwaed, 25-30

Y Wers

O dro i dro ar y rhaglen hon fe glywsoch chi lais mwyn, melodaidd Eirian Davies. Mi hoffwn i sôn am un wers bwysig a ddysgodd yr hen gyfaill Eirian i mi.

Bron ddeng mlynedd ar hugain yn ôl bellach, roeddwn i wedi ymuno â staff y BBC ym Mangor am ychydig fisoedd, yn lle Dyfnallt Morgan, oedd yn mynd i'r ysbyty yn Lerpwl am lawdriniaeth. Ac un prynhawn, dyma'r ffôn yn canu ar fy nesg i. Llais Sam Jones:

'Islwyn? Dewch i 'ngweld i, 'ngwas i. Ar unwaith.'

Ufuddhau, wrth gwrs. Ar unwaith.

'Welsoch chi hwn?' – Y *New Statesman* am yr wythnos, ac ynddo lythyr agored oddi wrth Bertrand Russell at Eisenhower a Crwstioff, yn erfyn arnyn nhw i roi'r gorau i gynhyrchu a phrofi bomiau niwclear. Ond beth ar y ddaear oedd a wnelo hwn â fi?

'Rwy am ichi fynd i Blas Penrhyn i recordio Lord Russell. Deg o'r gloch bore fory. Popeth wedi'i drefnu, bach.'

Wel, rŵan, fûm i 'rioed yn gysurus yng nghwmni mawrion y ddaear. A dyma ddechrau protestio. Ond ofer pob protest o flaen Sam Jones. Doedd dim anufuddhau i fod.

'Braint ichi, 'ngwas i. Braint! Cyfle oes i gwrdd â Bertrand Russell!'

Mi es adre ddiwedd y prynhawn yn bur drwm fy ysbryd. Pwy oedd yn aros efo ni ym Mangor y noson honno ond Eirian Davies. Roedd o'n beirniadu'r Adrodd a'r Llenyddiaeth yn Eisteddfod Dyffryn Ogwen. A rywbryd cyn hanner nos, ar ôl beirniadu'r Prif Adroddiad, dyma fo'n cyrraedd, wedi cael 'Steddfod wrth ei fodd. Tra oedd o'n cael tamaid o swper, a finnau'n cymryd paned yn gwmni iddo, mi ddwedais wrtho 'mod i'n gorfod mynd i Finffordd yn gynnar drannoeth i recordio'r dyn mawr.

'Fe ddo i 'da ti, achan.'

Wel rŵan, waeth imi fod yn onest ddim. O orfod mynd ar y fath berwyl, fe fyddai'n well gen i fynd fy hun, a neb ond y peiriannydd yno i 'nghlywed i'n baglu drwyddi. Ond roedd Eirian lawn mor benderfynol â Sam. Doedd yntau chwaith ddim yn derbyn 'Na'.

Drannoeth, roedd hi'n fore braf, y wlad yn dangnefeddus, a'r ffordd i Feirion yn glir. Ond doedd dim blas ar y sgwrs. Nid yn Gymraeg roedd y recordio i fod, ac mae fy Saesneg i'n wastad yn rhydlyd yn y bore. Ac nid ar gyfer Rhaglen Cymru roedd y recordiad, ond ar gyfer Gwasanaeth Gogledd America'r BBC. Roedd y peth yn arswydus.

Am ddeg o'r gloch – yn brydlon am unwaith –

roeddwn i'n canu cloch drws Plas Penrhyn. Fe'i
hagorwyd gan wraig urddasol:

'Come in, gentlemen. My Lord will be down
presently.'

'Gentlemen?' Ac mi welwn fod Eirian wedi dod i
fyny'r llwybr ar f'ôl i ac yn sefyll wrth f'ochor i. O
dïar. A dyma ni i mewn – ein dau – i barlwr mawr
chwaethus, ac eistedd i aros.

Toc, dacw'r drws yn agor, a dyn bach siriol,
ysgafndroed i mewn, a'r pen godidog hwnnw
roeddwn i wedi gweld ei lun lawer gwaith, yn
gwenu arnon ni. A chyfle oes, chwedl Sam, i
ysgwyd y llaw enwog.

Roedd f'arglwydd am ddechrau ar unwaith. O
drugaredd, dim ond dau gwestiwn oedd gen i i'w
gofyn. A fyddai f'arglwydd cystal â dweud yn
gryno beth oedd cynnwys ei lythyr agored at
Arlywydd America a Phennaeth y Sofiet? A pham
roedd f'arglwydd wedi sgrifennu'r llythyr
arbennig hwn ar yr adeg arbennig hon?
Cwestiynau Bi-Bi-Ecaidd fel'na.

Cyn gynted ag roedd y recordio ar ben, fe
ymlaciodd f'arglwydd a dechrau sgwrsio'n glên.
Roedd Eirian ar ei draed, a'i benelin ar y silff-ben-
tân. A dyma fo'n dechrau:

'How are you, my Lord? Is your health all right?'

'Thank you, I'm very well.'

'Yes, yes. Have you learnt Welsh yet?'

Wel, na, doedd f'arglwydd ddim wedi gwneud

ei ddyletswydd yn y cyfeiriad hwnnw eto, er cymaint y carai fedru'r heniaith. Ac ymlaen â'r sgwrs. Doedd gen i ddim cyfraniad pellach i'w wneud; roedd fy ngwddw i'n sych a 'ngwar i'n wlyb gan chwys.

Tybed nad oedd yr hen Eirian yn rhy hy ar y dyn mawr? Ond roedd y dyn mawr i'w weld yn mwynhau'r profiad yn burion.

Ar y ffordd adre, meddai Eirian:

'Doedd dim isie iti fecso, oedd e? Dyw Bertrand Russell, 'tweld, yn ddim ond dyn fel ti a finne.'

Diolch, Eirian, am ddysgu gwers bwysig imi y bore hwnnw. Dydw i ddim wedi'i hanghofio hi.

'Rhwng Gwyl a Gwaith'

Naddion, 239-240

Gryffis

'Yma y gorwedd 'Gryffis', a gafwyd yn farw ar Draeth Llan fore dydd Mercher, y 6ed o Fehefin, 1947.'

Wel, dyna fi wedi dweud y stori. Beth mwy sydd i'w ddweud? Gadewch weld. Hanner blwyddyn union cyn imi roi'r garreg farmor wen ar fedd fy nghyfaill undydd yr oedd yr haul yn ymwthio drwy'r dail derw yr ochr arall i'r stryd ac yn disgyn yn ddarnau ar y palmant y tu allan i'r siop. 'Rwy'n cofio sylwi ar hynny a'r union eiriau yna yn mynd trwy fy meddwl, o achos yr oeddwn yn arfer fy ffansïo fy hun yn dipyn o fardd erstalwm, pan oedd bri yn yr ardal ar bennill ac englyn, a chyn i'r dref fach yma fynd yn seisnig. Wel, yr haul. Am ei fod mor danbaid euthum allan i dynnu'r cysgod lliain i lawr dros y ffenestr, ac yn fuan ymlanwodd y cysgod glas yn y siop ag arogleuon tomatos ac afalau a thybaco a jinjir bir. Yr oedd yn hyfryd yn y cysgod yn y bore cynnar. Hwn ac arall yn mynd i'w waith ar ei feic ar hyd y ffordd, a llancesi'r pentrefi'n disgyn o'r bws ar gongl y stryd ac yn tipian heibio, yn bryfoclyd yn eu ffrogiau haf. Minnau dro ar ôl tro yn llusgo fy llygaid oddi arnynt am fy mod yn briod ac yn dad ac yn ddwy a deugain. Ond beth arall sydd i'w wneud mewn siop wag yn y bore cynnar?

Tua deg disgynnodd y papur gyda chlebar

drwy'r twll llythyrau. Euthum i'w godi. Bras ddarllen cwerylon y diwrnod cynt yn y cynadleddau, criced, y sgandal flasusaf y gallwn ddod o hyd iddi, yna ei roi ar y cowntar a phlygu uwch y croesair. A minnau'n gwyro yno, sigarét ar fy ngwefus, pensel ar y pôs, clywais y drws yn rhwbio agor.

Gŵr mewn het a chot wen, llodrau tywyll ac esgidiau cochion. Dieithryn hollol i mi. Safodd yno'n syllu o'i gwmpas, heb gymryd unrhyw sylw ohonof. Rhythodd yn galed ar hyd y nenfwd gan dynnu blwch bach gloyw o boced ei wasgod a gwthio pinsied o snwff digon drewllyd yn ffyrnig i'w drwyn. Yna symud yn lladradaidd at y cistiau bisgedi yn yr ochr, dal sbectol ddi-ffrâm wrth ei lygaid a rhythu ar y bisgedi a'i drwyn ymron ar y gwydr. Sythu'n sydyn a dweud dros y siop,

'Pam na wariwch-chi geiniog-a-dima' ar ddefelopment, dudwch? *One-horse get-up* y buaswn i'n galw lle fel hyn. Thynnith-o'r un dyrnaid o gwsmeriaid.'

Dywedais yn bur bigog nad oedd yn amcan gennyf dynnu cwsmeriaid, mai cymaint ag a allwn i ei wneud ar adeg mor ddiffaith oedd bodloni'r rhai oedd gennyf. A ph'un bynnag, 'doeddwn-i ddim yn disgwyl trafeiliwrs ar ddydd Mawrth.

Trodd, fel petai wedi'i daro, a dal ei sbectol i syllu arnaf trwyddi.

'Trafeiliwrs! Ha, *but not in the sense you mean, big boy.*'

Yna troediodd â'r un cerdded lladradaidd ag o'r blaen at y cowntar, rhoi ei benelin de arno a'i ddwrn chwith ar ei ystlys, ac agor ei lygaid yn llydain wrth fy wyneb. Yna dweud:

'Glywsoch-chi'r gwynt yn gwneud sŵn gitâr yn y palmwydd pan oedd yr haul yn machlud ym Môr y De? Glywosch-chi lais yr hen wraig sy'n gwerthu lili ar y Rue des Fleures? Glywsoch-chi ganu Johann Matt yn galw'r gwartheg i odro ar lan Lugano? Glywsoch-chi'r Sffincs yn crio? Pah! *One-horse get-up!*'

Eisteddodd ar y gadair unig wrth y cowntar gan siglo'i bwysau ôl a blaen ar ei ffon a'i lygaid ar y tatws yn y gongl wrth y drws, wedi sorri'n lân.

Daeth Mrs Morris i mewn. Te, siwgr, ymenyn, caws, sigaréts-i'r-gŵr. Rhywbeth arall? Diolch yn fawr. Gwd morning.

Cyn gynted ag y caeodd y drws neidiodd y gŵr gwyn i fyny drachefn a phlannu ei ddwy law ar y cowntar.

'Beth ydach-chi wedi'i wneud i Gymru? P'le mae 'ngwlad i? Beth mae'r Saeson yn 'i wneud yma? E? Beth ydi'r lingo gythraul y mae'r plant 'ma'n 'i siarad? Hanner can mlynedd yn ôl pan es-i oddi'ma, 'roedd Cei Bach i gyd yn siarad Cymraeg. Mi wn i ymh'le mae Cymru, siopwr. 'R ydach chi a'ch tebyg wedi'i rhoi hi yn ych poced.'

Protestiais yn y fan hon. Protestiais fy mod i'n ymylu ar fod yn genedlaetholwr. Protestiais fod fy mhlant i'n siarad Cymraeg. Protestiais fod y capeli o hyd yn gwarchod yr iaith.

'Na, na, na! *Eye-wash! You haven't got my meaning, Jones.* Jones ydi'ch enw chi. Ifans sydd ar y sein y tu allan, ond mae'r sein yn deud anwiredd. Jones ydi'ch enw chi. Mae gynnoch-chi wyneb Jones. *You haven't got my meaning.*'

Ciliodd yn theatrig wysg ei gefn a rhoi ei bwysau ar y cistiau bisgedi. Dechreuodd bysedd fy nhraed gosi gan ofn ei weld yn mynd drwy'r gwydr. Yr oedd ar ddechrau cyfarth arnaf oddi ar ei lwyfan newydd pan agorodd y drws eto. Tawodd a throi ei gefn ar y siop, a'i ddwy law ynghlwm y tu ôl iddo, gan guro'i gefn yn rhythmig â'i ffon.

Yr Henadur Jones-Owens, pen-blaenor y Tabernacl.

'Beth oeddech-chi'n 'i feddwl o bregethau'r Sul? Reit dda, on'd oedden? Y dynion ifanc 'ma wedi mynd braidd oddi ar ddiwinyddiaeth hefyd. Ar y colegau mae'r bai, wrth gwrs. Methu deall beth yw'r condemnio rhyfel 'ma sydd ganddyn-hw o hyd, chwaith. Amser iddyn-hw roi'r gorau i hynny bellach, a phethau'n edrych mor ddrwg eto. Ac mi gawn ddôs o Gymru bore a nos Sul nesaf'ma. Mae hwnna'n dipyn gormod o genedlaetholwr i ni yn y Tabernacl. Sut? Wel, wrth gwrs, mae 'na ddwy ochr i bob cwestiwn. Owns o *Amber Flake*, os gwelwch-chi'n dda? Bore da.'

Nid oedd y drws wedi gorffen cau ar Jones-Owens pan droes y gŵr diarth ataf eto, a chan ledu ei ddwylo modrwyog ar ffrâm y cistiau bisgedi, gwyro'n ôl yn eang a'i draed ymhleth ar ganol y llawr.

''Dydw-i ddim yn credu yn y Gristnogaeth 'ma. Dyn capel ydach chi. Mi alla-i weld hynny. Mae gynnoch-chi wyneb dyn capel. Blaenor neu rywbeth. 'Drychwch yma. Pan ydach-chi'n sbio i fyny ar Eferest nes bod sglein y rhew glas yn brifo'ch llygaid chi, neu pan ydach-chi'n gweld y Pasiffic yn torri'n swish-swish tawel, gwyn ar y tywod, 'd ydach-chi ddim yn meddwl am Gristnogaeth – am ddynion ac eglwys a chasgliad : rybish! Dim ond yr *Everlasting Mystery* – yn lliw ac yn fynydd ac yn rhythm tango : yr *Everlasting Mystery* – rhywbeth distaw, cynnes, ofnadwy yn rhoi hoelen drwoch-chi i'r mynydd nes ych bod chi'n methu symud, neu'n gludio'ch traed chi yn y tywod nes mae'r llanw'n dod ac yn golchi'ch fferau chi cyn ichi wybod. *That's what I mean when I say God*. Dowch imi bump o'r sigârs 'na ar y silff ucha 'cw. *One-horse get-up*.'

Yr oedd dadlau ag ef wedi mynd yn amhosibl ers meitin. Nid un ddadl oedd ganddo ond pymtheg. Ond yr oedd pob un yn y modd mwyaf sinistr wedi'i chyfeirio at wraidd fy argyhoeddiadau i. Estynnais y sigârs a disgwyl y tâl. Edrychais ar y gŵr.

''D ydw-i ddim am dalu amdanyn-hw,' oedd y bom nesaf. ''D ydw-i ddim yn credu mewn talu am ddim. Arian ydi'r hymbyg mwyaf ddyfeisiodd dyn erioed. Ysywaeth, 'r ydw-i'n cadw rhywfaint ohonyn-hw. Maen-hw'n plesio plant. O bob oed. Mae 'na olwg dlawd arnoch-chi, Jones. Mae gynnoch-chi ddigon o arian, ond 'r ydach chi'r bobol sy'n llechu y tu ôl i gowntars yn artistiaid mewn edrych yn dlawd. 'D oes gynnoch-chi ddim enw yn y dre 'ma, chwaith. Mi allech-chi fod yn faer petaech-chi'n dewis. Nid bod dim gwerth mewn job fel honno, wrth gwrs. Hymbyg pur ydi-hi. Ond mi f'asa'n ych siwtio chi. Mae gynnoch-chi wyneb Maer. Job fach neis-neis yn y leimleit a tsiaen aur am ych gwddw chi. Ci bach y dre. Cant neu ddau at y capel a rhywbeth tebyg i'r *hospital* a rhyw gil-dwrn i – beth ydi'r bobol 'ma sy'n trio cael hunanlywodraeth i Gymru? Hymbyg. *Eye-wash.*'

A chan rygnu yn ei wddf blonegog tynnodd allan lyfr siec a thynnu siec o hwnnw. Sgrifennodd ddwy fil a hanner arni a'i gwthio'n sorllyd ataf dros y cowntar. Rhythais arno mor fud â phob ffodus chwedlonol erioed. Yna, heb ddweud na 'Dydd da' na dim arall, trodd ar ei sawdl, a chan droi ei ffon fel asgell melin yn ei law camodd am y drws. Ond wedi rhoi ei law ar y drws, safodd, gan bensynnu eiliad, yna cerdded unwaith yn rhagor yn

lladradaidd at y cowntar, a chan ei hel ei hun yn
llwyth arno, dweud:

'Sut y b'asach-chi'n licio marw, Jones?'

'Marw?'

'Marw. Mae pobol yn niwsans, Jones. Isio
gwybod sut y mae rhywun wedi marw, a pham. Yn
enwedig y sgrifenwyr 'ma. Mi gorddan' ddau
ddwsin o resymau seicolegol dam-ffŵl o ddim, a
dweud eu bod-nhw wedi arwain i farw'r creadur.
Os byth y bydd rhywun yn sgrifennu am fy marw i,
Jones, fydd ganddo ddim syniad sut na pham yr es-
i. *The Eternal Mystery. Good idea, that.* H'm.
Hymbyg.'

A chan droi a thaflu un olwg ddinistriol arall
dros y siop a mwmial, *'One-horse get-up'*, aeth allan,
a'r drws yn rhwbio cau ar ei ôl. A'm bysedd yn
crynu y mymryn lleiaf codais y siec i ryfeddu uwch
ei phen. Ceisiais ddarllen y sgribl arni.

Rhywbeth tebyg i . . . 'Gryffis' . . .

Marwydos, 13-17

Prynhawn yn y Senedd Gymreig

''Rydych chi'n ffodus, Powel,' ebe Llywarch ar ôl cinio canol dydd. 'Mae dadl bwysig yn y Senedd y pnawn 'ma.'

'Ar beth, Doctor?'

'Er pan gawso'ni hunanlywodraeth, mae Cymry ar wasgar dros y byd i gyd wedi bod yn ymfudo'n ôl i Gymru. Ond mae llawer eto heb ddod – wyrion ac wyresau i Gymry aeth allan yn eich dyddiau chi, wedi cadw rhyw gymaint o'u Cymraeg a'u diddordeb yng Nghymru – ac mae'r rheiny'n gofyn am help ariannol i deithio. 'Dyw hi ddim mor loyw yn amryw o wledydd y Gymanwlad â phan aeth eu teidiau a'u neiniau allan; mae sychder a gor-boblogi a diweithdra wedi tynnu'r safon byw i lawr ynddyn'hw. Ac mae llawer o'r Cymry yno heb ddigon o arian wrth gefn i godi tocyn llong, heb sôn am awyren.'

'Beth all y Senedd ei wneud?'

'Mae'r Llywodraeth yn cyflwyno mesur i dalu costau teithio'r bobol hynny'n ôl i Gymru.'

'Oes rhywun yn gwrthwynebu?'

'Oes. Mae rhai yn ofni gor-boblogi Cymru. Mae poblogaeth Cymru eisoes yn dair miliwn a hanner, ac mae'n dal i dyfu – yn ara' bach. Mae'r wrthblaid yn ofni y byddai miliwn arall o drigolion yn fwy nag y gall Cymru'u cynnal.'

'Ydach chi'n cytuno?'

Chwarddodd Llywarch.

'Gwyddonydd ydw i, Powel, nid economydd.
Dewch. Fe awn ni os ych chi'n barod.'

Wedi inni gyrraedd cyntedd y senedd-dy,
gofynnodd Llywarch i'r porthor a oedd yr aelod
dros Ogledd-Orllewin Caerdydd yn y Tŷ.
Edrychodd y porthor ar ei lyfr, a dweud ei fod.
Pwysodd fotwm ar y gweleffon yn ei ymyl, ac
ymhen ychydig eiliadau gwelais un wyneb, ac yna
ymhen eiliadau wedyn wyneb arall. Addawodd yr
ail wyneb ddod i lawr ar unwaith.

'Dyma f'aelod seneddol i,' ebe Llywarch wrthyf
pan ddaeth y dyn atom, 'Taf Howel.'

Dyn ifanc tal, golygus, oedd Taf Howel, â dau
lygad gloyw, direidus. Sylwais mai Saesneg a
siaradai ef â Llywarch. Ymddiheurodd i mi mewn
ychydig eiriau Cymraeg nad oedd ei Gymraeg yn
ddigon rhwydd i gynnal sgwrs hir ynddi.

'Ond,' meddai â gwên lon, 'mae pawb yng
Nghymru'n deall ei gilydd, waeth ym mha un o'r
ddwy iaith y bôn'hw'n siarad. A hynny sy
ddelfrydol.'

Dywedodd Llywarch ei fod ef a minnau wedi
dod i glywed y ddadl, ac aeth Howel â ni ar
unwaith ar hyd coridor ac i fyny grisiau ac ar hyd
coridor arall at ddrws yr oriel. Rhoddodd ni yng
ngofal porthor arall a oedd yn sefyll yno, ac wedi
ysgwyd llaw â ni, diflannodd.

Yr oedd yr oriel yn rhwydd lawn, a phawb yn

siarad yn ddiymatal. Dyna un peth a oedd yn fy nharo o hyd ac o hyd : hwyliogrwydd y Cymry hyn, eu sirioldeb, ysgafnder eu hysbryd. Acw, yr oedd gwŷr y wasg – tybiwn mai dyna oeddynt – yn troi dalennau ac yn bodio papurau. Y tu ôl imi yr oedd dwy wraig yn sgwrsio yn Gymraeg, ac yr oedd yn amlwg oddi wrth eu sgwrs fod ganddynt rywun annwyl yn Awstralia oedd yn dymuno dod i Gymru i fyw.

Llanwodd seddau'r Tŷ oddi tanom ag aelodau seneddol. Eglurodd Llywarch fod mwy na chant o aelodau i gyd, ac yr oedd yn amlwg fod y rhan fwyaf ohonynt yma. Yn ebrwydd, cododd yr aelodau a phawb yn yr oriel ar eu traed, a gwelais fod drws wedi agor o dan oriel y Wasg. Cerddodd y Prifweinidog i mewn â'i Weinidogion yn ei ddilyn. Wedi iddynt hwy eistedd, daeth Cymedrolwr y Tŷ, ac eisteddodd ef ar gadair orseddol ym mhen y neuadd. Esgynnodd y Caplan i bulpud bach naill du a darllen ychydig adnodau ac offrymu gweddi. Yna, wedi sibrwd wrth hwn a'r llall, cododd y Cymedrolwr i osod mater y ddadl gerbron, a galw ar yr Ysgrifennydd Cartref i'w hagor. Cerddodd Siarl Emrys i'r rostrwm a dechrau llefaru. Cofiais yn y fan fod Llywarch a minnau i fynd i'w dŷ i swper y noson honno.

Profiad rhyfedd oedd gwylio Senedd Cymru wrth eu gwaith. Y Senedd yr oeddwn i wedi'i gwrthwynebu, wedi wfftio ati. Nid oeddwn yn credu y gallai Cymru fforddio'i senedd ei hun, ac nid oeddwn yn credu y byddai'n beth da hyd yn oed pe gellid ei fforddio. Ond dyma fi'n ei gwylio wrth ei gwaith, ac nid oedd yn wahanol i unrhyw senedd arall. Nifer o ddynion a merched, yn amrywio mewn oed a gallu, fel aelodau seneddol pob gwlad, ond yn gwneud eu gwaith â difrifwch, ac yn ymateb i jôc mewn hwyl. Byddai Tegid yn falch pan awn yn ôl a dweud wrtho.

Yn Gymraeg y siaradodd Siarl Emrys, ond yn Saesneg yr atebodd Arweinydd yr Wrthblaid ef. Yn ystod y ddwyawr y buom yno, siaradodd amryw yn Gymraeg ac amryw yn Saesneg, ond ni welais ac ni chlywais neb yn cyfieithu. Yr oedd yn eglur, fel y dywedodd Taf Howel, fod pawb yma'n deall y ddwy iaith, ond fod yn well gan bawb siarad yn gyhoeddus yn ei iaith gyntaf.

Swm a sylwedd y ddadl oedd fod y Llywodraeth yn argymell estyn grant i bob un o waed Cymreig yn unrhyw un o wledydd y Gymanwlad Brydeinig a oedd yn dymuno dod i Gymru i fyw, os gallent brofi na allent dalu'u cludiad. Gwrthwynebai'r Wrthblaid, fel y dywedodd Llywarch, am fod arnynt ofn gorboblogi Cymru. Cododd y Dirprwy Ysgrifennydd Cartref i ddweud na chaniateid i'r ymfudwyr gartrefu yn y trefi mawr nac yn y parthau diwydiannol. Yr oeddynt wedi gwneud arolwg manwl, ac wedi dod i'r casgliad y gallai rhannau o

Gymru wledig fforddio dyblu'u pologaeth. Yr oedd y boblogaeth yn denau o hyd ar Hiraethog a'r Berwyn a Bannau Brycheiniog a gwlad Pumlumon ac ucheldiroedd eraill, er gwaetha'r polisi cyson o godi diwydiannau ysgeifn yn y broydd hynny. Yr oeddynt hefyd yn gorfod dibynnu gormod o hyd ar gwmnïau cydweithredol i ffarmio'r ucheldiroedd, yn lle rhannu'r tiroedd hynny'n dyddynnod teulu. Pe deuai mwy o ymfudwyr a chanddynt brofiad mewn ffarmio, fe ellid cynyddu nifer y mânddaliadau mynyddig, a chael ffarmio gwell, a chynhyrchu mwy. A byddai'r Llywodraeth fel arfer, drwy'r Banc Credyd Diwydiannol, yn medru cychwyn pob teulu addas ar fân-ddaliad newydd.

Gorfu i Llywarch a minnau fynd cyn rhoi'r mater dan bleidlais, ond yr oeddwn yn barod wedi cael digon i feddwl amdano, ac i'w ddweud wrth Tegid.

'Dwedwch i mi, doctor,' meddwn i wrth groesi'r cyntedd, 'ydi o'n wir fod ardaloedd mawr poblog y De yn gorbwyso ardaloedd y Gogledd yn y senedd yma? Chefais i mo'r teimlad hwnnw y pnawn 'ma, mae'n wir, ond dyna un rheswm pam yr oeddwn i ac eraill yn erbyn i Gymru gael senedd.'

''Dyw e' ddim yn wir o gwbwl, ' meddai Llywarch. 'Glywsoch chi rywun yn sôn am 'Dde' a 'Gogledd' y pnawn 'ma?'

'Naddo.'

'Mae 'De' a 'Gogledd' wedi diflannu i bob

pwrpas erbyn hyn. Fe gewch sirgarwch a brogarwch o hyd, ac fe glywch bobol yn ymfalchïo eu bod wedi'u geni yng Ngwynedd neu Bowys neu Ddyfed neu Ddeheubarth. Ond un wlad yw Cymru, neu – os mynnwch – nifer mawr o drefi ac ardaloedd. Mae'n wir fod gan drefi fel Caerdydd ac Abertawe a Wrecsam lawer o aelodau seneddol rhyngddyn', ac ardaloedd â phoblogaeth fawr fel Rhondda a Rhymni a Chwm Tawe a Bethesda ac Arfordir Sir y Fflint. Ond mae'r boblogaeth wedi'i gwasgaru'n fwy trwchus dros wyneb y wlad erbyn heddiw, fel nad yw'r dre ddim yn llethu'r wlad mewn senedd fel yn eich dyddiau chi. A hyd yn oed pe digwyddai hynny, mae gennym Ail Dŷ i gadw chware teg.'

'Ail Dŷ?'

'Oes, oes, wyddech chi ddim? Garech chi weld hwnnw? Mae yntau hefyd yn eistedd y pnawn 'ma.'

Aethom i ran arall o'r senedd-dy, a chael lle yn oriel hwnnw. Yr oedd yma lai o bobol yn gwylio'r Tŷ hwn wrth ei waith, ond yr oedd y Wasg yma hefyd. Yr oedd y siambr hon beth yn llai na'r llall, ac wedi'i dodrefnu mewn glas hyfryd. Eglurodd Llywarch mai'r Cynghorau Sir a Thref a'r Undebau Gwaith a'r Byrddau Masnach oedd yn ethol cynrychiolwyr i'r Tŷ hwn, ond bod ynddo hefyd gynrychiolwyr o'r prif gyrff diwylliannol, crefyddol ac addysgol. At hynny, yr oedd nifer mawr o fudiadau a sefydliadau llai â hawl i anfon gwylwyr i'w eisteddiadau ac i anfon memoranda i'w trafod ganddo.

Y pnawn hwn, yr oedd yr Ail Dŷ yn trafod agenda Cymanfa Flynyddol y Cynghrair Celtaidd. Yn wleidyddol, yr oedd Cymru'n aelod o'r Gymanwlad Brydeinig, a'i Phrif Weinidog a'i Hysgrifennydd Tramor yn mynd i Gyngor y Gymanwlad yn Llundain bob tro y byddai'n cyfarfod. Ond yr oedd hi hefyd yn aelod o'r Cynghrair Celtaidd, cynghrair rhwng Cymru, Iwerddon, yr Alban, Cernyw, Manaw a Llydaw, wedi'i sefydlu i hyrwyddo cydweithrediad economaidd a diwylliannol rhwng y gwledydd hynny.

Eglurodd Llywarch fod agenda'r Gymanfa wedi bod o flaen y Tŷ cyntaf rai dyddiau'n gynt, ac yr oedd yr Ail Dŷ heddiw'n trafod yr argymhellion a wnaed yno. Yr oedd yn rhaid i holl fesurau'r Tŷ cyntaf ddod o flaen yr ail Dŷ cyn pasio'n ddeddf, a hynny, meddai Llywarch, oedd diogelwch holl bobol Cymru. Gwir, ni allai'r *veto*'r Ail Dŷ barhau ond am flwyddyn a diwrnod, ac anamal iawn y defnyddid ef, ond yr oedd unwaith neu ddwy wedi atal gwneud deddf a allai, yn ei ffurf gyntaf, wneud cymaint o niwed ag o les.

Y peth mwyaf diddorol i mi yn yr eisteddiad hwn oedd nid trafod trymaidd braidd yr aelodau – corff tipyn llai trydanol nag aelodau'r Tŷ cyntaf –

ond clywed Is-lywydd y Cyngrair Celtaidd, Gwyddel, yn annerch y Tŷ mewn Cymraeg perffaith. Yr oeddwn wedi clywed Gwyddyl yn siarad Cymraeg yn fy oes i fy hun, ond ni chlywais yr un yn siarad Cymraeg fel yr oedd hwn. Nid oedd arlliw o acen arni, ac yr oedd pob treiglad a chystrawen yn ddifrycheulyd. Ac 'rwy'n cofio diwedd ei araith :

'Dwy genedl hen yw'n dwy genedl ni. Yr oeddym ni yn yr ynysoedd hyn cyn dod na Rhufeiniwr na Sacson na Norman. Ac yn nhyb rhai, fe fyddwn yma ar eu holau. (Chwerthin.) Ond y mae un peth yn sicir : yr ydym heddiw yn fwy byw, yn fwy cyfoethog, ac yn fwy diwylliedig, nag y buo'ni erioed. Ac o gydweithredu a chydgyfeirio'n doniau oll, fe allwn hyd yn oed arwain y byd tuag at radd o ryddid meddwl ac undod ysbryd na welwyd mo'i debyg yn holl flynyddoedd hanes.'

Wythnos yng Nghymru Fydd, 83-87

Yr Hen Wraig yn y Bala

Wedi taith arall drwy berfeddion y goedwig, daethom allan yn ymyl adfeilion pentref arall. Yr oedd yr Athro erbyn hyn wedi cael map ei nai i'w ddwylo ac yn ei ddilyn.

'Dyma *Ruin 24*,' ebe Seeward.

'Yn ôl y map,' ebe'r Athro, 'Llanuwchllyn.'

'Ie.'

Edrychais arno. Pentref diwylliant a chewri Cymru. Murddunnod, tomennydd rhwbel, dail poethion. Caeais fy llygaid yn dynn rhag ei weld. Pan agorais hwy eto, yr oeddem yn gyrru gydag ymyl wal arall, wal gwersyll. A'r ochor arall inni – diolchais am weld rhywbeth y gallwn ei nabod – yr oedd Llyn Tegid. Yr oedd y goedwig yn cau amdano ar bob tu, trwch o binwydd yn cyrraedd o ddŵr glas y llyn hyd bennau'r bryniau o'i gwmpas. Yr un oedd siâp y llyn â phan welswn ef o'r blaen, ond nid Penllyn oedd y wlad o'i gwmpas.

Aethom allan drwy borth yn ffens drydan y fforest, wedi i borthor yno saliwtio Seeward a'i agor. A chyn pen dim yr oeddem yn y Bala. O leiaf, yr oeddwn i'n casglu mai hwn oedd y Bala flynyddoedd yn ôl. Y peth cyntaf a'm trawodd oedd eglwys fodern yn codi o'r coed – Eglwys Santes Fatima, meddai Seeward. O gwmpas pen y llyn yr oedd ffair bleser anferth – prom yr Aberystwyth newydd unwaith eto, ond yn hagrach, os oedd hynny'n bosibl. Nid oedd stryd fawr y Bala ond dwy res o gabanau pleser – *Amusements* oedd y gair holl-bresennol.

'Tref wyliau,' meddai Seeward yn ddihiwmor. "Rwyf am droi yma. Mae gennym swyddfa fan hyn.'

Dychrynais pan welais y swyddfa. Nid oedd y 'swyddfa' ddim amgen na Chapel Tegid gynt. Gofynnais, gan geisio llyncu 'nghynddaredd, beth a ddaethai o gofgolofn Thomas Charles.

'Colofn pwy?' ebe Seeward.

Eglurodd yr Athro iddo fod cofgolofn i un o'r arwyr cysegredicaf ei goffadwriaeth yng Nghymru yn arfer sefyll o flaen y capel.

'O, 'rwy'n cofio'n awr,' ebe Seeward. 'Yr oedd yma ryw golofn. Fe'i symudwyd hi flynyddoedd yn ôl am ei bod hi'n rhwystr ar y maes parcio o flaen y swyddfa. 'Doedd neb yn gwybod dim am y dyn y codwyd hi iddo. Fyddaf i ddim yn hir.'

Am yr ail dro er y diwrnod cynt, torrais i feichio crïo. Yr oedd yr Athro'n deall y tro hwn, a gadawodd rhyngof fi a'm teimladau. Yr oeddwn yn wylo, nid o gynddaredd at y fandaliaid a wnaeth hyn oll – yr oedd yn amlwg na wyddent hwy pa beth yr oeddynt yn ei wneuthur – ond o gynddaredd at fy nghenhedlaeth i fy hun, y genhedlaeth a oedd â'r trysorau i gyd yn ei gofal, ac a adawodd i'r moch ddod i mewn a'u malu. Yr oeddwn yn sicir na faddeuai'r nefoedd byth i'r

Cymry, nac i minnau, am werthu'n hetifeddiaeth mor rhad, mor gableddus, fasweddus rad. Wedi imi dawelu tipyn, trodd yr Athro ataf a dweud, yn Gymraeg.

'Mae'n ddrwg gennyf imi ddod â chwi ar y daith hon, Ifan. Ni wyddwn fod Cymru fel yr oedd yn golygu cymaint ichwi.' A chwanegodd dan ei wynt, 'Neu fe fyddech wedi ymladd i'w chadw.'

Troi'r gyllell yn y briw. Oni bai fod fy nghydwybod yn fy nghyhuddo gymaint ag yntau, buaswn wedi'i daro am fod mor greulon. Gyda hynny, daeth Seeward yn ôl.

'Wel,' meddai, 'dyna fi wedi gorffen fy musnes am heddiw. Yn awr, garech chi fynd i weld Llyn Tryweryn cyn troi'n ôl?'

Rhythais arno.

'Llyn b'le ddwedsoch chi?'

'Llyn Tryweryn. Pam yr ydych chi'n edrych arnaf fel yna? Mae'n ddigon agos, fyddwn ni ddim ond dau funud – '

'Byddwch ddistaw,' meddwn i. ''Does arna'i ddim eisiau gweld y peth dieflig, 'rydw i wedi gweld digon – '

'Ond nid yw ond cronfa ddŵr, yr un fath â Llyn Dyffryn Ceiriog a Llyn Dolanog a Llyn Ffestiniog a Llyn Nant Ffrancon – '

'Byddwch ddistaw'r cythraul brwnt!'

''Nawr, edrychwch yma, Powell – '

'Gadwch iddo, Philip.' Rhoddodd yr Athro'i

law ar ei fraich. 'Mae Ifan wedi'i gynhyrfu. Nid yw'n gwybod beth mae'n ei ddweud – '

'Mi allwn i feddwl, wir – '

'Fe fyddech chi a minnau'r un fath pe baem yn dod yn ôl i'r ddaear ymhen canrif eto ac yn gweld ein pethau anwyla'n sarn. Ni allwn ni ddychmygu beth yr oedd y pethau sy wedi diflannu heddiw yn ei olygu i Ifan. Peidiwch â chymryd sylw.'

'O, wel, os dyna'r eglurhad . . . ' ebe Seeward, gan eistedd yn ei sedd wrth y llyw. 'O . . . tra wy'n cofio. Mi ddigwyddais holi yn y swyddfa gynnau a oedd rhywun yn y cyffiniau a oedd yn debyg o fedru Cymraeg. Fe edrychodd pawb yn hurt arnaf am funud, ac yna fe ddwedodd un o'r dynion fod hen wraig yn y stryd yma sy wedi colli'i phwyll fwy neu lai, ac yn ffwndro weithiau mewn iaith ddiarth. Garech chi'i gweld hi, rhag ofn?'

Edrychodd yr Athro'n betrus arnaf fi, ac yna nodiodd ar Seeward. Gyrrodd Seeward y cerbyd ymlaen beth, a safodd wrth dafarn datws, ac aeth i mewn. Daeth allan ymhen munud neu ddau ac amneidio arnom. Aethom drwy'r dafarn datws i stafell fach dywyll yn y cefn. Yno, yn y gornel, yr oedd hen wraig yn eistedd, â'i phen yn gwyro'n ôl, yn hepian. Safai gwraig tua deugain oed yn ei hymyl, a golwg ddigon budur a diamynedd arni.

'I don't know,' meddai. 'We've always lived 'ere, but I never 'eard any of your Welsh. My mother-in-law 'ere gabbles something sometimes my 'usband and me can't understand. You can try 'er if you like.'

Eisteddodd Richards yn union o flaen yr hen wraig a dweud yn Gymraeg.

'Sut yr ydych, gyfeilles? A ydych yn teimlo'n weddol?'

Agorodd yr hen wraig ei llygaid ac edrych arno'n ddifywyd.

'Mm? Who are you?' meddai.

'Yr wyf yn siarad Cymraeg â chwi, hen wraig,' ebe'r Athro. 'A ydych yn medru Cymraeg?'

'Eh? I don't know you,' meddai'r hen wraig wedyn.

Gwnaeth yr Athro ambell ymgais, ond yn ofer. Yna, gofynnais a gawn i drïo. Cododd yr Athro, ac eisteddais innau yn ei le, a gafael yn nwy law yr hen wreigan. Yr oedd arnaf eisiau'i chlywed yn dweud gair o Gymraeg yn fwy na dim yn y byd, rhywun a fu byw yn fy nghyfnod i ac a fu'n siarad fy iaith i . . . Yr oedd arnaf eisiau'i chlywed yn dweud *rhywbeth* a ddangosai nad oedd y fandaliaid wedi *llwyr* ddileu fy Nghymru i am byth, yn enwedig yn y Bala . . .

'Hen wraig,' meddwn i. 'Ydach chi'n gwbod hon? Trïwch gofio.' Ac adroddais yn araf : 'Yr Arglwydd yw fy Mugail; ni bydd eisiau arnaf. Efe a wna imi orwedd mewn porfeydd gwelltog . . . ' Caeodd llygaid yr hen wraig. Wel, dyna hi ar ben, meddwn i. Ond euthum yn fy mlaen. 'Efe a ddychwel f'enaid. Efe a'm harwain – ' Yn sydyn, sylweddolais fod gwefusau'r hen wraig yn symud. Yr oedd hi'n adrodd y geiriau gyda mi. Agorodd ei llygaid, a daeth ei llais yn gryfach, gryfach . . . 'Ie, pe rhodiwn ar hyd Glyn Cysgod Angau, nid ofnaf niwed . . . ' A phan ddaeth at eiriau ola'r Salm, fe'u dwedodd â grym yn ei llais a golau yn ei llygaid na welais beth tebyg na chynt nac wedyn.

'A phreswyliaf yn Nhŷ'r Arglwydd yn dragywydd . . . Pwy ydech chi, 'machgen i?' Trodd ei llygaid gloyw arnaf. 'Bachgen Meri Jones ydech chi? Maen'hw wedi mynd â cholofn Tomos Charles odd'wrth y capel, wyddoch . . . y Saeson 'ne ddaru . . . ' Cydiodd ym mreichiau'i chadair a chodi'n syth ar ei heistedd. 'Y nhw ddaru, a'u hen sŵn a'u coed a'u regileshions . . . y nhw . . . But I don't know you, do I?' Suddodd yn ôl unwaith eto â'i llygaid yn pylu. 'I don't . . . know anything now . . . '

Codais, a mynd allan o'r ystafell. Yr oeddwn wedi gweld â'm llygaid fy hun farwolaeth yr iaith Gymraeg.

Wythnos yng Nghymru Fydd, 211-214